小林よしのり

新型コロナ

——専門家を問い質す

泉《いず》美《み》木《もく》蘭《れん》

光文社

まえがき

「王様は裸だ」と公言できる人間があまりにも少ない。

新型コロナが獰猛《どうもう》な棘《とげ》だらけのマントを羽織った恐怖の大王だとマスコミが煽《あお》りに煽ったために、純朴な大衆はすっかり洗脳されてしまい、アマビエの札を貼る中世の人々のように、飲食の際にはどうせ外すマスクを、TPOをガン無視して着用し、笑顔を忘れた子供を育て、ほうれい線を深く刻んだご婦人を増やしている。

「新コロは裸だ。インフルエンザ以下だ」という定理はただし、「日本では」という限定を付けておかねばならない。「東南アジアでは」と言ってもいいのだが、清潔感に関する習慣が特に優れているので「日本では」という表現にあえてこだわっておこう。

新型コロナに関しては、医療従事者も介護サービスの従事者も、インフルエンザの流行時と同レベルの注意をしておけばいいし、高齢者への感染に恐怖心を持つ必要などカケラもない。

インフルエンザの流行時には、若者や子供が祖父母にウイルスを感染させて、基礎疾患があれば重症化させ、寿命ならば無意識のうちに死に追いやっていたはずなのだ。

幸いにして新型コロナは子供や若者に優しく、間もなく寿命の老人にはちょっぴり無慈悲に天寿を迎える時期を早めてくれる。

インフルエンザなら子供にも若者にも無慈悲で、高齢者にはもっと厳しい仕打ちをしていたものだが、それに比べれば新型コロナは慈悲深いウイルスである。

たとえ新型コロナに感染しても、インフルエンザに罹《かか》って謝罪したことがない人ならば、後ろめたく思う必要もないし、謝罪なんか不要である。

マスコミに洗脳された「コロナ脳」の者たちが、偏見や差別をむき出しにして、自粛警察やマスク警察と化して暴走しているが、「科学より恐怖」を啓蒙《けいもう》してきたテレビと専門家の責任は重大である。

テレビに出たがりの専門家や医師が「インフルエンザと比べちゃダメ」なんて弁解したところで、比べられたらウソがばれてしまうからというだけのことで、専門家は「日本人」ゆえの特殊性を絶対に認めたくないだけのことである。

地球上には一種類の地球市民がいて、ウイルスは全人類に平等に感染して、平等に重症化し、平等に死を与えると妄信しているのが専門家だ。国ごとの事情や国民性を認めない幼稚さは滑稽でしかない。

本書は作家・泉美木蘭《いずみもくれん》さんとの共著である。泉美さんの情報収集能力は凄《すさ》まじくて、いったん興味を持った題材には、海外の情報もすべて入手してわしに送ってくれる。

わしは『ゴーマニズム宣言』第1巻から「権威よ死ね！」という帯文で思想を語り始め、「王様は裸だ」の精神で世の中に横行する嘘《うそ》を見破ってきたが、一貫して専門家や権威を妄信したことはない。

もちろん信用できる専門家はいるし、専門家の分析のどれを信じて、どれを信じないかは自分の脳みそで判断するまでのこと、今回も多くの書物を読んで、ウイルスや感染症や免疫の勉強をした。

最初に木村《きむら》もりよさんの意見を聞いたのは正解だった。


だが、ほとんどのテレビ用専門家はカスだった。テレビの視聴率万能主義に貢献して、日本社会を崩壊させた罪は重い。

本書は素人が専門家に挑戦状を叩《たた》きつけるわけで、その主張や議論の基になるデータはなるべく多く提示している。わしが見たところ、専門家は本書にある海外の研究論文やデータにすら目を通さず、比較検討してないのではないかと思える。

読者諸君は我々の議論の根拠となるデータにも目を通して、自分の頭で考えてみてほしい。


本書は、科学・サイエンスとは何か？　それを専門家に問い質《ただ》すための本である。そして、緊急事態の場合は、「専門バカ」に頼ってはいけない、「総合知」で専門家のてんでバラバラの見解を国民が分析する必要があるということを政治家に教えたくて制作した本である。

国民の代表が政治家ならば、一般国民である我々が「お上」に依存してばかりはいられない。

マスコミがねつ造した「インフォデミック」を終わらせるのは「お上」や「専門家」ではない。我々「国民」である。

わしの中では感染症としての「新コロ」はとうに終わっているのだが、「コロナ禍」はまだまだ続く。経済はもっと悪化して、失業者も自殺者も増えるだろうし、マスコミと専門家が犯した罪の深さは来年はもっと顕現してくるはずだ。

国民がまずマスクを外さねば、社会が復元する日は来ない。

令和2年10月18日　小林よしのり

目次

第二章　グローバリズム脳から脱却せよ

※本書内に登場する「コロナ」「新型コロナ」「新コロ」は、すべて「新型コロナウイルス感染症（COVID‐19）」を示しています。

第一章

日本は「死の恐怖」に狂った

新型コロナは最初からインフルエンザ以下だった

小林《こばやし》よしのり（以下、小林）　この本は、『ゴーマニズム宣言SPECIAL　コロナ論』（扶桑社）などを読んだ人でも楽しめるようにしたいということ、そして、泉美さんとは**ニコニコ生放送『オドレら正気か?』**[1]をずっとやってきて、ファンもものすごく増えてきているし、漫画よりも詳細に語りながら、楽しめるという感じでやろうと思う。

　まず、とにかく言っておかなければいけないのは、新型コロナとインフルエンザとの比較。わしは最初から一貫してこればっかりやっているわけなのね。

泉美木蘭《いずみもくれん》（以下、泉美）　そうでしたね。2月27日に小中高校に全国一斉に休校要請があって、その翌々日ぐらいに打ち合わせで小林先生とお会いしたんですよ。その時にすでに先生は、「インフルエンザは毎年1千万人が感染して、1万人の死者が出ているんだぞ。それなのに、コロナごときで一斉休校なんておかしい」とおっしゃっていて、私は、まさかインフルエンザでそんなに人が死んでいるとは思ってもいなかったので、「え、本当?」とびっくりしたのを覚えています。

　先生はもともと、インフルエンザのシーズンには神経をとがらせていて、スタッフの方が触れた漫画の原稿にまでウイルスがついているんじゃないかと警戒されているんですよね（笑）。

小林　わしは、もともとインフルエンザを正しく恐れているからね（笑）。だから、一番最初に、コロナと比べようと思ってインフルエンザの感染者数や死者数を調べたんだよ（**図1**）。そしたら、とんでもない数だった。感染者が年間約1千万人。これを365で割れば、一日の感染者数は3万人だ。この一日3万人という数字が新型コロナで出るのかどうか、これさえ見ておけばいいという基準を立てた

季節性インフルエンザと新型コロナウイルスの比較

（2020年10月2日現在）

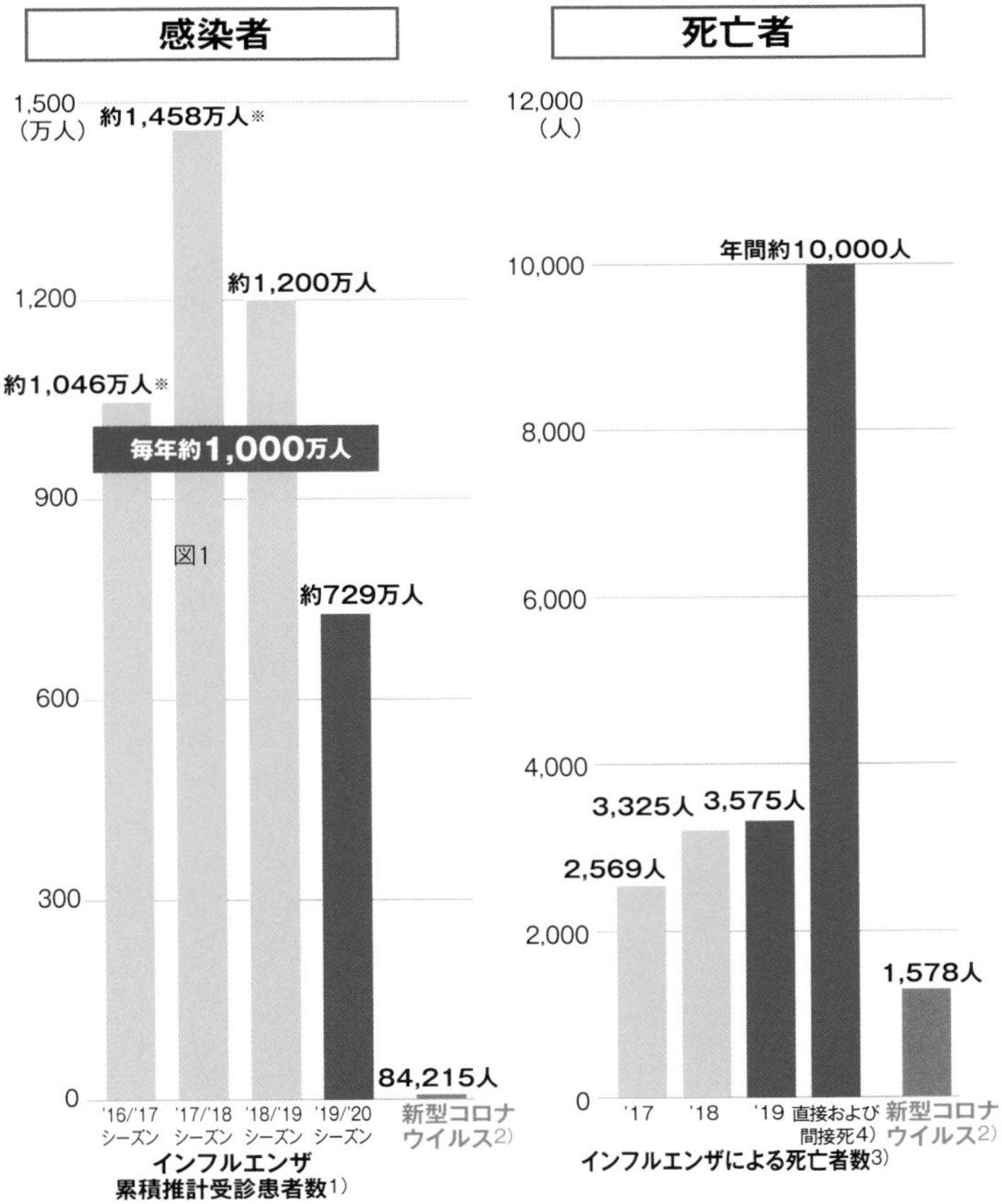

※新推計方法に基づく数値への変換0.66より過去の数字を算出

データ参照元／
1）国立感染症研究所「今冬のインフルエンザについて(2019/20シーズン)、(2018/19シーズン)、(2017/18シーズン)、(2016/17シーズン)」
2）厚生労働省「新型コロナウイルス感染症の現在の状況(令和2年10月2日版)」
3）厚生労働省「令和元年(2019)人口動態統計(確定数)の概況」「平成29年(2017)人口動態統計(確定数)の概況」
4）厚生労働省「新型インフルエンザに関するQ&A」

図1

わけ。それで比較していくと、一日3万人の感染者なんて絶対出そうにない。だから、コロナは弱毒性で、感染力も弱いぞということをずっと言い続けているわけだよ。

だけど、この結論を、どういうわけだか誰も言わない。何で？　何でインフルエンザと比較した結果を誰一人言わないの？

泉美　最初のうちは、「未知のウイルスですから、何が起きるかわかりません」と言われていましたけど、さすがに夏になれば、インフルエンザほどではないなという話になるだろうと思っていたんですよ。でもそうはなりませんでした。「そんなに心配する感染症ではありません」ということだけは、テレビに出ている専門家は絶対に言いません。

小林　うん。これは本当に謎。専門家が誰一人言わないから、国民は、インフルエンザよりも怖い、死のウイルスだと思い込んでしまったんだ。ものすごく強固な観念ができあがってしまったよね。

インフルエンザは、直接死が毎年3千人、間接死が約1万人。これは真実であって、揺るがすことができない絶対的な事実なんですよ。これに、誰が反論できますか？　これは、サイエンスでのデータなんです。

泉美　そうですね。だけど、データを使って「インフルエンザとコロナとでは明らかに規模が違うよ」と説明しても、「コロナの死者はほぼ後期高齢者だけど、インフルエンザは小さな子どもが死んでしまうことがあるよね」と語りかけてみても、ほとんどの人は感情に支配されていて「でも、コロナは怖いもん」という結論になってしまうんです。

小林　困ったことだよね。最近、新型コロナとインフルエンザを比較してはいけないなんて言う者も出てきたけど、批判の根拠は海外のデータなんだよ。海外では新コロの死者数が多いのは知ってるよ。だが日本では、2桁少ない。しかも日本は致死率が高いなんて言ってる者がいる。がんで死んでも、老衰で死んでも、事故で死んでも、コロナのＰＣＲ陽性者はすべてコロナ死とみなされてるのに、そんな致死率なんて信じられるか！　本来、直接死だけなら、日本のコロナ死は５００人くらいかもしれないよ。

去年は、インフルエンザがあまり流行《はや》らなかったんだ。要因としてはウイルス干渉があるが、インフルに対する**集団免疫**[2]ができあがってきたんじゃないかなとも思うんだけどね。人間と共生できるぐらいにインフルエンザウイルスが弱毒化してしまって、日本人にもそれに耐えうる免疫ができあがって、いい具合に釣り合いが取れてきて広がらなくなったんじゃないかな？

泉美　なるほど。今存在している季節性インフルエンザは、「Ｈ１Ｎ１亜型」というタイプが多いそうですが、これは１９１８年に発生したスペイン風邪の子孫に当たるといわれています。毎年シーズンが来るたびに多くの人が感染しているので、そろそろ感染ペースが鈍ってきたのではないか、と。ウイルスが大幅にモデルチェンジすれば、また新型インフルエンザとして大流行するんでしょうけど。

小林　そうだね。それでも、流行らなかったとはいえ、２０１９年は3千人以上が直接死しているけどね。一方のコロナは10月2日時点で約１千５００人だ。あれだけ大騒ぎして、１千５００人ぐらいしか死んでいないという状態なんだから、どう考えても釣り合わないという感じなのね。

1　**ニコニコ生放送『オドレら正気か？』**　ブログマガジン『小林よしのりライジング』の会員向けに毎月放送されているネット生放送番組。出演者は小林よしのりと泉美木蘭。社会に腹が立ちすぎて過激な番組名を掲げたが、本当に「正気か？」と言いたくなる世の中になり、普通にフィットしてしまった。

2　**集団免疫**　感染症に対して、その地域の一定数の人が感染して免疫を持つことによって、免疫を持たない人を保護する手段。免疫を持つ人が多くなると、感染の連鎖が断ち切られやすくなり、感染症の拡大が収まるか緩やかになる。

泉美　毎年約1千万人というインフルエンザの感染者数も、すべては把握できておらず、あくまでも熱を出して病院で検査を受けて、確認された範囲から推定したものですよね。コロナでは鼻風邪程度でも無症状でも、すべて検査で見つけて保健所に届け出るなんてことになりましたが、インフルエンザではそんなことは行われていません。だから、現実にはもっと超莫大な感染者がいるのかも。

小林　そうだろうね。まず、わしがカウントされていないよ。わしは、インフルエンザに感染しても絶対に病院に行かずに自力で治すからね。高熱が出たら、布団を被って寝る。汗をかいて暑くなったら、布団をどけて涼む。そしてまた汗をかくということを繰り返すと、3日目あたりから熱が引いてくるから、そこで風呂に入るんだ。あとは、オレンジジュースをガバガバ飲む。それと、ジョアとユンケルと果物ね。それが、わしのインフルエンザの対処法。

泉美　イギリスやスウェーデンの人みたいですね。ヨーロッパの国は、日本のようにすぐに病院にかかれない医療制度になっているから、熱を出したら、「とりあえずオレンジジュースを飲んで寝ておけ」という感覚の人が多いんだって聞きました。私も病院にはあまり行かないし、これはインフルエンザかもしれないなという症状でも検査を受けたことはないから、患者にはカウントされていないですね。同じような人は大勢いると思う。

小林　インフルエンザにかかっていても、ちょっと鼻水が出るぐらいとか、無症状の人もいるからね。それを考えれば、日本では毎年3千万人ぐらいは感染しているかもね。それほど強力なんだよ。けれども、コロナは強引に**PCR検査**[3]をやりまくっても、それには及ばないという状態でしょう?

泉美　多い時でも東京都で一日300人、400人程度でしたね。全国でも一日で3万人なんて到底届かないです。

小林　そうだろ。「何だこれ?」という話になるんだよ。新型コロナは、インフルエンザの足元にも及ば

コラム1　近年のインフルエンザの実態

インフルエンザの歴史は古く、最古のもので紀元前412年のヒポクラテスの記録にさかのぼる。ウイルスには、A型、B型、C型の3パターンが確認されており、特にA型ウイルスは感染力が強く、次々と変異して高等生物の免疫機構をすり抜ける。そのため、一人の人間が一生の間に何度も繰り返し感染する。

近年パンデミックが起きたのは、A型ウイルスが大幅にモデルチェンジして、それまで流行していた型を凌駕する「モデルチェンジ」が起きた時だ。1918年の「スペイン風邪（H1N1型）」では4千～5千万人が死亡し、以降39年間は「スペイン風邪系」が世界で流行していた。1957年には「スペイン風邪系」の子孫に、鳥インフルエンザウイルスの一種が合体し、「アジア風邪（H2N2型）」が誕生。200万人が死亡し、以降11年間は「アジア風邪系」の時代となった。1968年には「アジア風邪系」の子孫に、鳥インフルエンザウイルスの子孫が合体して「香港風邪（H3N2型）」が誕生。100万人が死亡した。

その後、1977年の「ソ連風邪（H1N1型）」、2009年の「豚インフルエンザ（新型H1N1型）」が加わり、ほかにも亜型の誕生で緊迫した年もあったが、現在のところ世界で流行しているのは、主にA型ウイルスの「H1N1型」と「H3N2型」、そしてB型ウイルスの3種とされている。

日本では、多い年で10人に1人が感染しているとみられ、東京都内だけでも2019-20年シーズンで集団感染事例が2千811件、2018-19年シーズンで4千575件、2017-18年シーズンで5千298件が確認されている。

「一度もインフルエンザにかかったことがない」という人もいるかもしれないが、それは思い込みで、症状の差こそあれ、6歳頃までにほぼ100％の人が感染・発病しており、人間がインフルエンザから逃れることは不可能とされている。

国立感染症研究所はインフルエンザを「いまだ人類に残されている最大級の疫病」（『感染症発生動向調査週報IDWR 2005年第8週』より）と表現している。他にもウイルス研究者からは「地球上に存在するウイルスの中で、最も伝播《でんぱ》力が強い」「人類の強敵」などと称されている。

コラム2 感染症の「致死率」とは？

致死率には2種類ある

感染症の致死率には、確定診断のついた感染者を分母として、そのうちの死者の割合を示す致死率「CFR」(Case Fatality Rate)と、未検査の感染者も含めた全体の推定感染者数を分母とする致死率「IFR」(Infection Fatality Rate)がある。

「CFR」は、確定診断のついたすべての患者が、「死亡」か「回復」かで解決がついた場合にのみ最終的な数値がわかる。つまり、流行が終わって全体を振り返った時が決定値になるのだ。新型コロナでは、初期に医療機関のパンクを避けるため「37・5度の発熱が4日間」など条件をつけて検査を絞ったため、1~5月の「CFR」は5月時点では7.2%。その後、検査数を増やした8月では0.9%となった(国立感染症研究所による調整致命率※8月30日時点)。

一方の「IFR」は、その地域の人口構成や医療アクセスなどさまざまな要因を考慮しながら、おおよその感染者全体数を推定するもので、感染力は強いが無症状者が非常に多い感染症の場合は、「CFR」よりもはるかに低い数値になる。

惑わされないように注意を

「新型コロナの致死率」として多くのマスコミが報じたのは、あくまでもその時点での「CFR」であり、最終的な数値ではない。また、未検査者を含めた現実の数値よりもはるかに高く、決して正確ではないと考えておこう。

毎年の全体をおおよそ把握されているインフルエンザの「CFR」と、現在進行中で変動している新型コロナの「CFR」を比較して、「新型コロナのほうが致死率が高い」という言説も見られた。恐怖で惑わされないように注意しよう。

コラム3 「直接死」と「間接死」

「陽性者はすべてコロナ死」の現状

インフルエンザでは、ウイルスが直接の原因で起きた肺炎や脳症による死者を「直接死」、二次的な感染症や基礎疾患の悪化による死者を「間接死」と区別してカウントしている。一方、新型コロナの場合は、死者の大半は基礎疾患を持つ高齢者とされているが、2020年9月現在、「直接死」と「間接死」の区別は行われておらず、「PCR検査陽性の死者はすべてコロナ死」とみなされている。このため、持病の悪化が死因であるにもかかわらず、「新型コロナ感染者が死亡」と報じられることもある。

スウェーデン、「直接死」は15%

スウェーデン公衆衛生庁が公表する死者統計には、「この統計には、死因に関係なくCOVID-19感染が確認され、死亡した人の数が示されています」という注釈がついている。2020年8月にスウェーデンの医学雑誌『Läkartidningen』に掲載された記事によると、スウェーデン南部のエステルイェートランド地方で自宅などで亡くなったコロナ死者の死亡診断書を精査したところ、「直接死」は15%にすぎず、70%以上は「間接死」で、残りの15%はほぼ「心臓病」などまったく別の疾患が死因だったという。また、この地方での死者の半数は88歳以上だった。スウェーデンの平均寿命は82・4歳（2016年・WHO）で、限りなく寿命に近かったと表現しても差し支えないだろう。

コラム4　日本人の死因

厚生労働省「令和元年（2019）人口動態統計（確定数）の概況」によると、2019年の日本の死者総数は138万1千93人で、死因第1位は、がんや白血病などの「悪性新生物〈腫瘍〉」で37万6千425人だ。第2位は「心疾患」（高血圧性を除く）で20万7千714人、第3位は「老衰」で12万1千863人だった。ほかにも、「脳血管疾患」が10万6千552人、「肺炎」が9万5千518人、「消化器系の疾患」が5万2千742人など、毎年多くの人が亡くなっている。また、「不慮の窒息」「不慮の溺死及び溺水」がそれぞれ8千人前後で、これは「交通事故」による死者数の2倍に近い。特に冬季は、高齢者が餅をのどに詰まらせたり、入浴中に溺水して死亡する事故が多発するため、消費者庁が注意喚起を行うほどだ。

新型コロナの死者数と他の疾患による死者数を比較して、相対化してみれば、「新型コロナで死ぬかもしれない」「新型コロナは恐ろしい感染症だ」という言説がいかに大袈裟《おおげさ》なものかが理解できるだろう。

日本における主な死因（2019年）

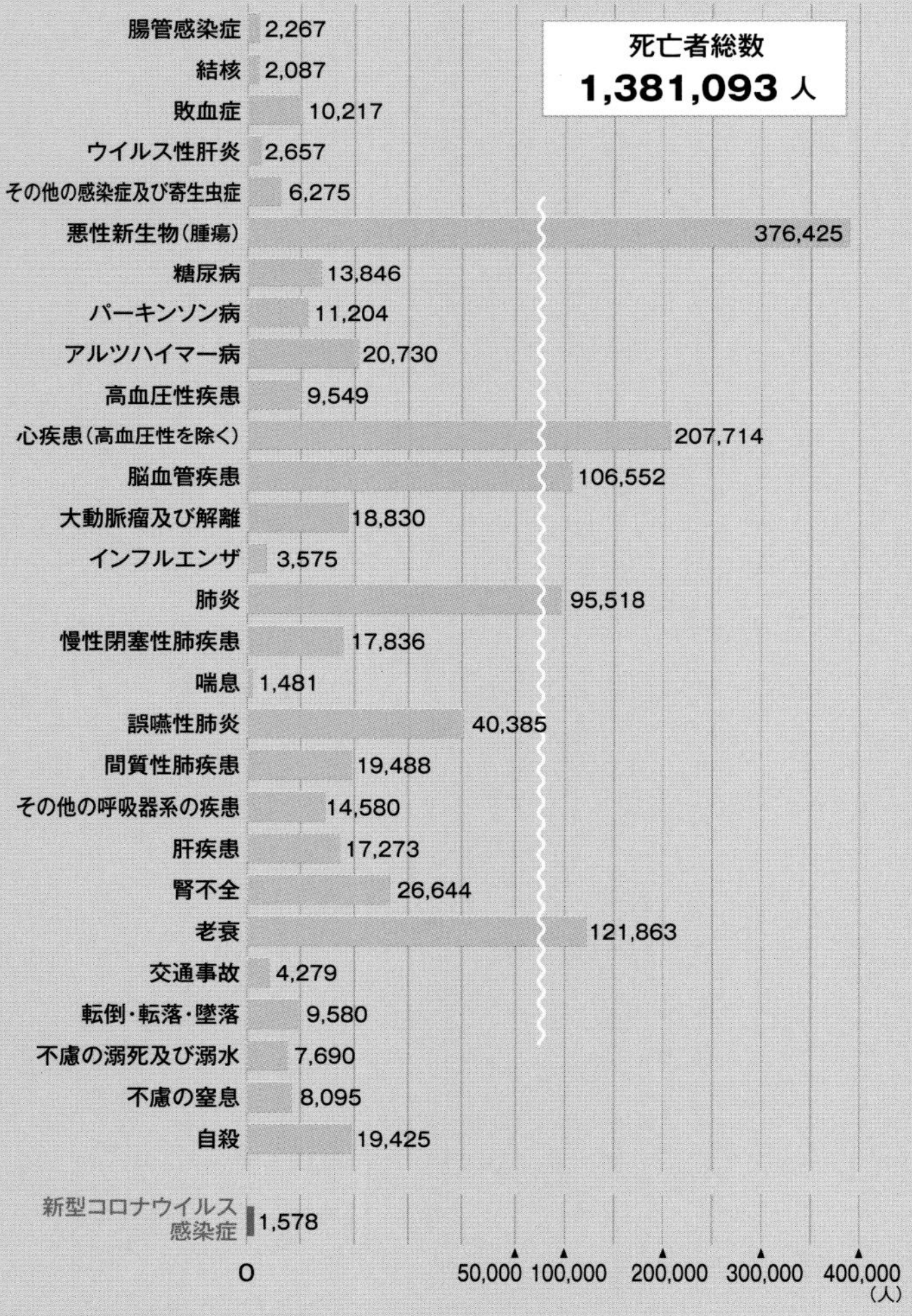

データ参照元／
厚生労働省「令和元年（2019）人口動態統計（確定数）の概況」
厚生労働省「新型コロナウイルス感染症の現在の状況（令和2年10月2日版）」

年齢別のおもな死因順位（2019年）

年齢	第1位(人数)	第2位(人数)	第3位(人数)	第4位(人数)	第5位(人数)
0歳	先天奇形等 580	呼吸障害等 239	不慮の事故 78	乳幼児突然死症候群 75	出血性障害等 56
1～4歳	先天奇形等 142	不慮の事故 72	悪性新生物(腫瘍) 65	心疾患 40	インフルエンザ 32
5～9歳	悪性新生物(腫瘍) 86	不慮の事故 56	先天奇形等 41	心疾患 18	インフルエンザ 14
10～14歳	悪性新生物(腫瘍) 98	自殺 90	不慮の事故 53	先天奇形等 23	その他の新生物(腫瘍) 20
15～19歳	自殺 563	不慮の事故 204	悪性新生物(腫瘍) 126	心疾患 37	先天奇形等 31
20～24歳	自殺 1,040	不慮の事故 311	悪性新生物(腫瘍) 158	心疾患 96	先天奇形等 34
25～29歳	自殺 989	悪性新生物(腫瘍) 246	不慮の事故 223	心疾患 108	脳血管疾患 35
30～34歳	自殺 1,145	悪性新生物(腫瘍) 512	不慮の事故 259	心疾患 208	脳血管疾患 131
35～39歳	自殺 1,287	悪性新生物(腫瘍) 1,091	心疾患 409	不慮の事故 342	脳血管疾患 274
40～44歳	悪性新生物(腫瘍) 2,238	自殺 1,498	心疾患 846	脳血管疾患 664	不慮の事故 441
45～49歳	悪性新生物(腫瘍) 4,719	自殺 1,825	心疾患 1,699	脳血管疾患 1,344	肝疾患 720
50～54歳	悪性新生物(腫瘍) 7,254	心疾患 2,572	自殺 1,748	脳血管疾患 1,671	肝疾患 1,042
55～59歳	悪性新生物(腫瘍) 11,738	心疾患 3,461	脳血管疾患 2,016	自殺 1,562	肝疾患 1,281
60～64歳	悪性新生物(腫瘍) 19,308	心疾患 5,329	脳血管疾患 2,924	肝疾患 1,487	自殺 1,352
65～69歳	悪性新生物(腫瘍) 37,265	心疾患 9,641	脳血管疾患 5,164	肺炎 2,347	不慮の事故 2,345
70～74歳	悪性新生物(腫瘍) 52,842	心疾患 14,456	脳血管疾患 8,091	肺炎 4,553	不慮の事故 3,375
75～79歳	悪性新生物(腫瘍) 62,657	心疾患 21,046	脳血管疾患 12,314	肺炎 9,063	不慮の事故 4,976
80～84歳	悪性新生物(腫瘍) 66,607	心疾患 32,199	脳血管疾患 18,275	肺炎 15,939	老衰 9,909
85～89歳	悪性新生物(腫瘍) 61,128	心疾患 45,210	老衰 25,073	肺炎 24,562	脳血管疾患 23,362
90～94歳	心疾患 44,007	老衰 40,329	悪性新生物(腫瘍) 36,546	肺炎 23,516	脳血管疾患 19,697
95～99歳	老衰 30,674	心疾患 21,508	肺炎 10,959	悪性新生物(腫瘍) 10,438	脳血管疾患 8,750
100歳以上	老衰 11,958	心疾患 4,719	肺炎 2,444	脳血管疾患 1,766	悪性新生物(腫瘍) 1,281

データ参照元／厚生労働省「令和元年(2019)人口動態統計(確定数)」

ない。これははっきりしているわけだ。それに、まるでコロナだけが死ぬ病気であるかのように思い込んで、「コロナ、コロナ」と恐れていること自体がおかしいんじゃないか？

泉美　そうですよね。多くの保険会社が、日本人の三大疾病は、がん、心疾患、脳卒中だと宣伝して、そのための保険商品を販売してきました。もっと他の病気で莫大な人数の死者がいるわけですし、感染症の死者だけを見ても、2019年には結核で約2千人、腸管感染症で約2千300人です。交通事故死も4千人以上ですよ。そもそも日本全体で毎年130万人以上の死者がいるんだから、コロナだけを恐れるのは不思議ですね。

恐怖を煽《あお》る報道で「普通」がわからなくなった

泉美　それほどまでに弱いウイルスなのに、毎日「今日の新規感染者は○○人でした」と速報で流れ続けていました。いちいち感染者数を速報するなんてこと、今まではありませんでしたよ。

小林　人類史上初の珍妙な出来事が起こっているわけだよ。インフルエンザでも、流行しはじめたら速報でやってほしいね。何万人と出るから。

泉美　インフルエンザの死者や重症者を毎日テレビで伝えはじめたら、もうコロナどころでないパニックになって、一切外出できなくなるでしょう。

小林　緊急事態宣言を出さなければならなくなるよ。店も仕事も全部自粛だ。そして、一斉休校だ。でも、コロナよりはるかに強力なはずのインフルエンザでは、検査で陽性だったからというだけの理由では学級閉鎖していないよ。子どもたちの症状を見て、それぞれのクラスで個別に決めているわけだから。

泉美　そうなんですよね。ある小学校では、コロナ陽性の子どもが一人出たからといって、学校を封鎖して隅々まで消毒したと報道されていました。でも、その子どもから検出されたウイルスは本当に微量で、ほんの少し基準が違えば、陰性と判定されるようなレベルだったそうです。過剰反応もいいところだし、こんなこと、インフルエンザでは絶対にやらないですよ。

小林　そう、みんなもっとぞんざいに生きているわけだよね。神経質に潔癖に生きるのではなく「ぞんざいに生きる」、これは庶民の重要な知恵だね。何でそこがいまだにわからないのかね。本当に不思議だよ。

泉美　わからないというより、わからせないようにしているとしか思えません。専門家にもいろんな意見の人がいて、個人のブログやSNSなんかで「こんな過剰反応はおかしい」と言っているお医者さんだっているんですよ。でも、そういう意見の専門家は、テレビにはほとんど登場しませんから。

小林　なるほど。「テレビ専門家」ってのがいるんだな。卑しい奴らめ。

泉美　テレビにはもともと、「あなたの健康は、こんなに脅かされている」というような、健康不安を煽って人を怖がらせるという手法で視聴率を稼ぐ番組がたくさんありますけど、コロナに関しては、ほとんどの報道番組がそういう手法になってしまいました。冷静に、事実を検証しているような番組はほぼ存在しません。

小林　そうなんだよ。正しく恐れなければいけないなんて、言ってるけど。

3　**PCR検査**　ポリメラーゼ連鎖反応。生化学反応では解析できないわずか数分子の遺伝子のターゲット核酸から、数ミリグラムのDNAを増幅し、検出する方法。新型コロナウイルスの場合は、二本鎖のDNAではなく、一本鎖のRNAをウイルスゲノムとするため、まずはRNA逆転写酵素を用いてわずかなRNAをcDNAに変換した後、検出可能な濃度まで増幅する。新型コロナの検査は、正確には「RT-PCR法」。

泉美　あのう、正しく恐れるって、どういうことなんでしょう。論理的に考えながら、背筋を伸ばして恐れる、とか？
小林　わからん（笑）。わしは、インフルエンザを、普通に恐れている。
泉美　普通に。あははは。
小林　とにかく編集者や、外部から仕事にやってくる人がいる時は、「熱があるとか、インフルエンザにかかっているような奴は来るなよ」と言っているんだ。自分がかかりたくないから（笑）。
泉美　先生の場合は、寝込んでしまうと仕事がすべてストップして、大変なことになりそうですね。
小林　わしは、締切りを正しく恐れているから、インフルエンザにかかっても絶対に仕事はする。だから、ものすごくキツいことになるのよ。そんな苦しい思いはしたくないから、インフルエンザにかかった奴、風邪ひいた奴は、わしに近づかないようにと言って牽制《けんせい》するんだよね。弁護士の**倉持麟太郎**《くらもちりんたろう》[4]と仕事場でネットの生放送する時なんかも、あいつは若いし、あっちこっちで社交ばっかりしていて、何のウイルスを運んでくるかわからんから、ブログで「わしに会う者は鼻の穴までちゃんと洗ってくること」と警告する。
泉美　それ、鼻毛にくっついていたウイルスを、わざわざ奥まで押し込ませてるんじゃないですか（笑）。
小林　そうだった。鼻の穴に指を入れるということ自体がいかんから。いかんことをやらせてたよねえ。それでも、仕事場に取材で訪ねてきた編集者が、どうも風邪っぽい時は、打ち合わせが終わって帰った後に「窓開けろ！　掃除しろ！」と秘書に命じる。
泉美　えぇーっ！
小林　だけど、訪ねてきた人に「お前、インフルエンザじゃないか？」なんて言ったり、差別することはないから。一応、ちゃんと応対しておいて、心の中では、「こいつの息をなるべく吸わないでおこう」と思いながら話すんだよ。

泉美　私も今まで、そんなふうに対応されてたんですか？

小林　そうだね。心の中でエンガチョしてるよ。

泉美　ガーン……。私は、熱を出したり、鼻づまりで頭が痛いということになっても、それが誰かのせいだとは考えたこともなかったです。自然のなりゆきとして、単に「風邪ひいちゃったなあ」と思っていたぐらい。

インフルエンザが大流行している時期は、特に満員電車に乗る時はマスクをすることもありました。コロナ騒動のおかげで、人前で咳払いひとつできないような空気がありますけど、以前は電車の中で、マスクもせずにゲホゲホ咳き込んだり、盛大にくしゃみをしている人が普通にいましたからね。

ただ、そういう時のマスクは、血まなこで入手したり、誰かにしろと言われて従ったりするわけではなくて、自分の判断なんですよ。大事な予定があったり、仕事がすごく立て込んでいたり、今、具合が悪くなったら困るから気をつけておこうというような。

小林　わしも、普段から顔と手はしょっちゅう洗ってるよ。まあ、それが当たり前の感覚なんだし、みんなそのぐらいしておけばいいじゃない。

泉美　普通の清潔の感覚でいいと思うんですよね。ところが、コロナ騒動で、国民全員が強迫観念に捉われたような状態になってしまったように見えます。

4　**倉持麟太郎**　1983年生まれ。弁護士。日本弁護士連合会憲法問題対策本部幹事として憲法問題に取り組み、小林よしのりが開催している思想と公論の場「ゴー宣道場」の「師範」としても登壇。近著に『リベラルの敵はリベラルにあり』（ちくま新書）。

小林　そうなんですよ。わし、子供の頃、妹に「お前、手のひらは細菌だらけなんだぞ」と脅かしたことがあるの。そしたら、妹が一日に何度も手を洗うようになって、しまいに手が真っ赤に腫れ上がってしまったんだよ。母親が病院に連れて行ったら、「これは**強迫神経症**だ[5]」と言われたらしい。

泉美　ひどい。ものすごく恐怖を煽る言い方だったんでしょうね。

小林　わはは。母親からめちゃくちゃ叱られたけどね。だから、『羽鳥慎一《はとりしんいち》モーニングショー』（テレビ朝日系）で、コメンテーターの**玉川徹**《たまがわとおる》[6]や、白鷗大学教授の**岡田晴恵**《おかだはるえ》[7]なんかの言動を見ていると、視聴者に強迫観念を植えつけているとしか思えないんだよ。しかも、それが国民全員に伝播してしまったわけだ。まったく、異常なことだよ。

本当のことを言えば、ここで結論なんだよね。コロナは、そんなに過剰に恐れるものじゃない。インフルエンザの時ぐらいに、普通に用心しておけばいいですよ、ということで終わる話なんだ。

マスクもフェイスシールドも、ムダなんじゃない？

泉美　普通の感覚が、まったく通じない世の中になってしまった結果、ほぼ全員がマスクをつけているという異様な社会になりました。

特に、スーパーコンピュータ「富岳」が計算したという、飛沫《ひまつ》の拡散図はマスコミで大宣伝されました。マスクをしていない人の口から、エクトプラズムみたいにブオーーーッと飛沫が噴き出していて。人間はロボットみたいにピタッと停止して、1カ所を見つめながら息をしたりはしていないんだから、この通りなわけがないでしょって思うんですけど、あんなものを繰り返し見せられたら、やっぱり他人に生理的な嫌悪感を持つようになっちゃいますよ。

おかげで、8月になって熱中症でバタバタ人が死んでいる時まで、律義にマスクをつけて外を歩いている人がほとんどでした。日本人は本当にみんなが真面目にマスクをしていて、今日ここに来る時も、地下鉄の中では全員がマスクをして、うつむいてスマホを見つめていました。マスクをしていないのは、私ひとりなんですよ。

小林　そうだろね。泉美さんは同調圧力に屈しないから。

泉美　だけど、みんながそんなに真面目にマスクをしているのに、PCR検査をたくさんすれば、感染している人がどんどん見つかるわけです。これって、結局は、そんなにマスクの効果が出ていないということではないんでしょうか？

小林　どこかの会社で、社員100人のうち50人ぐらいが集団感染したというニュースがあったよね。その会社では、みんなが社内でマスクをしていたんだ。さらに、窓を開けて換気もしていた。それでも半分の人が感染している。なぜそうなったんだ？　一般人はそこを考えようとしない。

泉美　合唱サークルの人たちが、練習をするために、全員マスクとフェイスシールドをつけたのに、感染者が出たというニュースもありました。岡田晴恵は「合唱は危険ですね」なんて解説していたけど、それって、マスクもフェイスシールドもさほど意味はありません、ということでしかないと思うんですよ。

5　**強迫神経症**　1994年以前の診断名。現在は、「強迫性障害」と呼ばれる。頭の中にしつこく浮かぶ不快な考えやイメージに捉われ、それを打ち消そうとして同じ行為を繰り返してしまうことで、日常生活や精神状態に大きな影響をおよぼす病気。

6　**玉川徹**　1963年生まれ。テレビ朝日報道局局員。『羽鳥慎一モーニングショー』レギュラーコメンテーター。

7　**岡田晴恵**　1963年生まれ。白鷗大学教育学部教授。専門分野は感染症学、公衆衛生学、児童文学。

小林　でも、ＷＨＯ（世界保健機関）は「マスクはしたほうがいい」「ただし、５歳以下は着用にこだわらなくていい」と言っている。ＷＨＯやテドロス事務局長なんか、わしは全然、信じてないけどね。

泉美　ＷＨＯが言うのだから大人しくマスクするべきだ、という感覚でこうなってしまったんでしょうか。アメリカでは「**神様に与えられた呼吸を奪うのか**[8]」と声を上げる人が現れたり、ドイツやイギリスなんかでは「マスクを強要するな、自分の体のことは自分で選択する」と訴える人たちが大規模なデモを起こしています。そのなかで、世界一真面目にマスクをしているのは日本人のような。

小林　日本人が一番真面目だよ。クソ真面目なんだな。だから、「マスクをしていなければ、もっと感染者が出たはずだ」と考える奴が出てくるわけよ。ダース・ベイダーのマスクつけときゃいいのに。

しかも、その時々によって言うことが違うからさ。「マスクをしているから、この程度の感染で抑えられた」と言いつつ、「ＰＣＲ検査が足りないから、こんなにいっぱい感染が広がった」と言ったりね。この２つはまったく逆の話じゃん（笑）。

泉美　あははは。抑えたの、広がったの、どっち!?

小林　マスクに効果があるという証拠はない。理研（理化学研究所）の「富岳」のシミュレーションでも、マスクした人が咳をしたら飛沫が20％から30％漏れてるじゃん。30％も漏れたら、コロナウイルスは何万個も浮遊してるよ。富岳では、不織布マスクで、体内に取り込まれる飛沫数を３分の１にすることができるが、20マイクロメートル以下の小さな飛沫なら、マスクしてない場合とほぼ同数の飛沫が気管奥に達するという結果だ。マスクで感染は防げるという証拠として確立した論文もないんだよ。コロナウイルスの大きさは0.1マイクロメートルで、あまりにも小さい。それに対してマスクの網目は、およそ10から１００マイクロメートルぐらいの大きさなんだ。つまり、マスクって、コロナウイルスの１００倍から１千倍の穴が開いているということになる（**図２**）。これじゃ通り抜けてしまうんだよ。

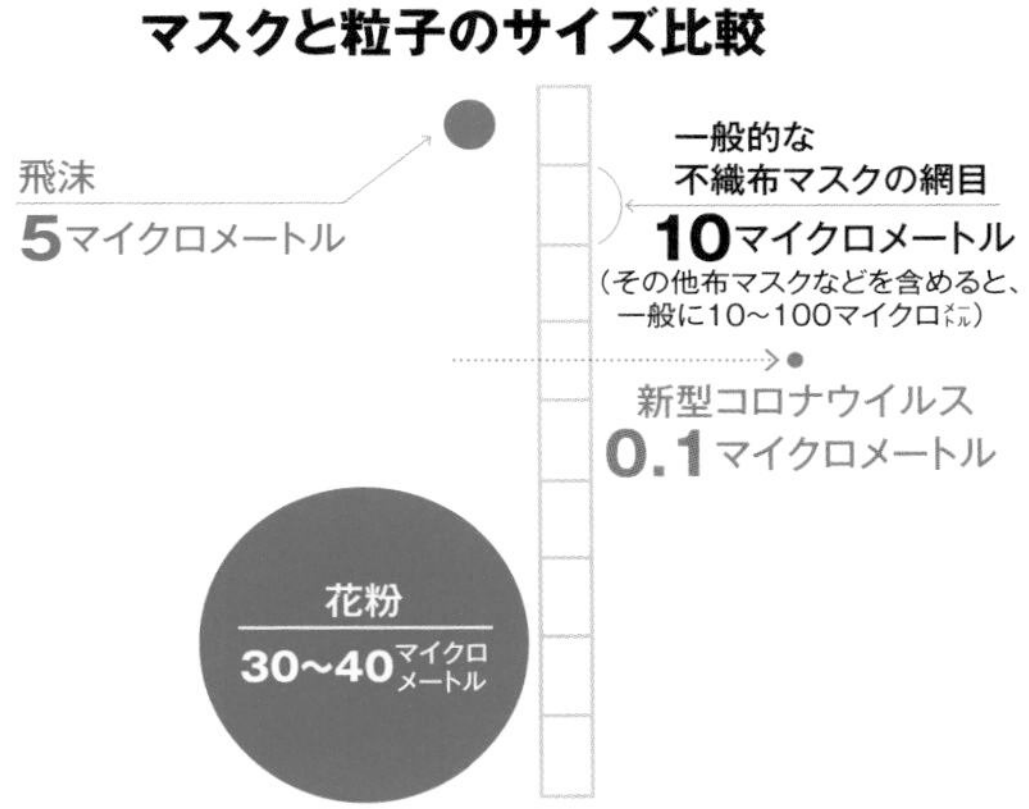

図2

それでも、飛沫に乗れば網目のところに引っかかるから、効果があるんだと言う人もいる。でも、飛沫の大きさも5マイクロメートルだからな。富岳の結果が正しいなら、飛沫を防止できない。みんな、もっと目の粗いマスクをつけてるし、あんなマスクじゃ役に立たない。大臣なんて口元だけの透明シールドつけてるが、あれって100％飛沫が漏れてるじゃないか！　わし、マスクをした状態で、自分の手に向かってフーッと息を吹いてみたけど、やっぱり風を感じたよ（笑）。

泉美　えーっ。完全に漏れてる。小鼻の隙間のところからも漏れていますしね。

小林　鼻のところが一番出ているよ。だけど、完全密閉では息ができないから、当然だよね。みんな、「息ができない」マスクしなきゃダメ！

泉美　それじゃ死んじゃうじゃないですか（笑）。

小林　だから、病院で使われているマスクは、ものすごく苦しいはずだよ。だがそれも完全ではない。

アメリカで、病院で使われているサージカルマスクとN95マスクの効果を比較するために、それぞれのマスクをつけた医療従事者約2千400人を調査したんだよ。そしたら、インフルエンザにかかったのは、サージカルマスクで7.2％、N95マスクで8.2％。大して差がなかったんだ。結局、医療用マスクでもかかる時はかかるということだな。

泉美　うわあ。マスク業界震撼の事実。

小林　それでも、日本人には、マスクをしておけば他人が恐れないという感覚があるからどうしようもないじゃない。

泉美　そうですよね。みんながしてるから、しておいたほうがいい、とか。科学的な効果があるかどうかより、心理的な安堵感の話なんですよ。「感染者が殺人鬼に見える」なんてことを言った人もいるし、マスクをしていないだけで、すごい目で睨まれたりもするし。

小林　そうなんだよ。わしがマスクをせずにタクシーに堂々と乗り込んだら、運転手がギョッとするのよね。運転席と後部座席はビニールで遮蔽《しゃへい》されていて、料金を支払うところしか開けないぞ、という状態なんだけど、それでもわしを見て恐れている。仕方ないからマスクしてあげたんだよ。しょうがないじゃない。

泉美　社会生活を円滑に送るために、どうしてもマスクをしなければいけない時はありますね。私も、「絶対にマスクはしない！」とこわばってるわけではなくて、仕事で編集者の人と一緒にインタビュー取材に行ったりする時は、していきますよ。私は個人の自由でいいけど、会社に勤めている人は、マ

8　**「神様に与えられた呼吸を奪うのか」**　2020年6月、米フロリダ州パームビーチ郡で、新型コロナウイルス対策として公共の場でのマスク着用を義務化する法案の採決前に、委員会が市民の意見を聞く機会を設けた際、法案に反対する市民が発言した言葉。

コラム5　アメリカでの実験：「N95マスク」と「サージカルマスク」、効果に差なし

2019年9月に米国医師会発行の機関誌『JAMA Network』に掲載された論文によると、高性能医療用マスク「N95」と、通常の診療に使用しているサージカルマスクの効能を比較実験した結果、「ウイルス性呼吸器感染症の発生率には、有意な差がなかった」という。

これは、2011年から2015年にわたって、テキサス大学、米国疾病予防管理センター（CDC）、ジョンズ・ホプキンズ大学、コロラド大学、コロラド小児病院、マサチューセッツ大学、フロリダ大学、その他複数の退役軍人病院の協力のもとに実験を行ったもの。

インフルエンザが流行するシーズンに、1枚1ドル（約105円）の「N95」マスクと、1枚10セント（約10円）のサージカルマスクを合計約2千400人の医療従事者に装着させて診療にあたり、期間中のインフルエンザと急性呼吸器疾患の発生率を調べた。結果は、「N95」マスク群が8.2％、サージカルマスク群は7.2％で、有意な差は見られなかった。

「N95」マスクは、NIOSH（米国労働安全衛生研究所）規格に合格したマスク。

◉参考文献　JAMA[N95 Respirators vs Medical Masks for Preventing Influenza Among Health Care Personnel：A Randomized Clinical Trial]

スク着用が規則になっていたりするし、先方に気を遣う感覚もわかりますからね。

小林　だけど、わし、泉美さんがマスク警察に襲われるんじゃないかと怖いんだよ。会うたびいつもマスクしていないからさ、女性を襲撃したマスク警察のニュースを見て、すぐ「こういう暴漢もいるからマスクしなさいよ」とメールを送ったんだよね。そしたら、「それがなんだよ！」という返信が来た（笑）。

泉美　だって、女の人を襲撃するような男って、普段から女の人に対して何か悪い感情を持ってる人だと思うんですよ。今はマスクが注目されているから、マスク警察になっただけで、理由さえあれば「女をなんとかこらしめてやりたい」って感じでしょ。そんなのにいちいちビビってられませんよ。

小林　そうなんだろうけど、泉美さんは太々《ふてぶて》しいんだよ（笑）。もはや、マスクしないだけで不良だね。しかし、これほどまでに女の人の顔が見られない時代がやってくるとは思わなかったよ。マスクで隠れているから、美人かどうかまったくわからない。本当につまらん世の中になったなと思うよ。街の中を歩いていても、ときめかないから（笑）。

泉美　先生って、そんなにときめいてたんですか。8月に大阪の百貨店へ行ったら、一階正面入口を入ったところのメインスペースが「お洒落マスク」の売り場になっていました。マスクで客寄せするしかないという状態ですよね。一体どうなってしまうんでしょう。

サイトカインストームも後遺症も新型コロナ特有ではない

小林　「新型コロナは無症状の人が感染させるから危ない。だから、無症状の人も隔離しなければならない」と言われているよね。でも、インフルエンザも無症状の人が感染させている可能性があるわけでしょう？

泉美　そう考えられています。インフルエンザにも鼻水程度の人から高熱の出る人まで、症状にはいろいろあって、無症状の人もかなりいるということが、いろんな専門書に書かれています。

小林　そうでしょう？　だから、コロナと同じなんだよ。それなのに、コロナがどれだけ怖いかということを強調する。「サイトカインストームが起きて、たちまち死んでしまう」とか言ってね。

泉美　サイトカインストームも、新型コロナ特有の症状ではありません。自分の体に備わっている免疫の仕組みが暴走して、正常な細胞がやられてしまうというもので、どんな病原体でもある話なんです。当然インフルエンザでも起きるし、薬の副作用によっても起きる場合があるそうです。だから、コロナが特別なことのように言うのはおかしいと思いますよ。単に、サイトカインストームという現象をクローズアップして怖がらせているだけですね。

小林　そうだよね。だけど、「インフルエンザでもサイトカインストームが起きることがある」とは絶対に言わないんだ。

泉美　「コロナにかかると**心筋炎**[9]が起きる」というのもありましたが、インフルエンザでも心筋炎が起きることはあります。他にもインフルエンザは、肺炎になったり、筋炎で急に歩けなくなったり、敗血症が起きて多臓器不全になったり、心筋梗塞や脳梗塞になったり、インフルエンザ脳症になって痙攣したり、異常行動を起こしたりします！

小林　「コロナはインフルエンザよりも致死率が高い」というのもまた、怖がらせるために言われたが、致死率というのも、検査数が変動したりして分母が変われば簡単に変わってしまう数字だから、あまり当てにならないんだ。

泉美　コロナは、持病が原因で危篤になって救急搬送された人でも、検査してみて陽性ならすべて「コロナの死者」とカウントされてしまってもいますからね。

小林　「後遺症がある」というのもクローズアップされたよね。後遺症って、普通は一生治らないもののことを言うけど、まだコロナが治って間もない時に「残るものがあるね」というぐらいのレベルでは「後遺症」とも言わないんだけどね。

9　**心筋炎**　心臓の筋肉の炎症。急性、慢性、劇症型など幅広い症状があり、数時間で収まるものから長期間に至るものまである。無症状から、息切れ、胸痛、急性心筋梗塞に似た症状、失神まで症状は幅広い。原因はウイルス、細菌、毒素、薬、原虫など。

―コラム6― サイトカインストームとは何か

菌やウイルスなどが体内に侵入すると、白血球の一種である「マクロファージ」や「樹状細胞」などが病原体を感知して、「サイトカイン」と呼ばれる物質を放出する。「サイトカイン」は、免疫系として働く他の細胞と交信し、お互いの機能に影響を及ぼし合って、それぞれ増殖したり、病原体排除のために活性化したりするために必要なものだ。

「サイトカイン」には、「炎症性サイトカイン」と「抗炎症性サイトカイン」と呼ばれるものがあり、通常は病原体と戦いつつ、健康な細胞を守るため、両者がアクセルとブレーキの役割を担ってバランスをとっている。ところが何らかの要因でブレーキが壊れ、「炎症性サイトカイン」が血中に過剰に放出されてしまい、免疫の暴走状態が起きることがある。これが「サイトカインストーム」だ。

「サイトカインストーム」に陥ると、正常な細胞が傷つけられてゆき、患者は重篤化して死に至る場合もある。新型コロナに限らず、インフルエンザなどさまざまな感染症で発生する。

また、がんにかかると体内で慢性的に炎症が起こり、体がやせ細ってしまうが、この大きな原因も「炎症性サイトカイン」の過剰分泌によるものと考えられている。

―コラム7― インフルエンザが引き起こすさまざまな症状

高熱、筋肉痛、関節痛、肺炎

インフルエンザウイルスが鼻腔や咽頭から体内に侵入し、気道の粘膜から感染しはじめると、免疫細胞が感知してウイルスと戦うために前線に突撃していく。この時、「サイトカイン」を放出するために、悪寒や高熱、筋肉痛、関節痛などが起きる。防御が間に合わず、気道の粘膜が破壊されて肺の内部に広がると、肺炎が発生する。

合併症

さまざまな合併症が全身で起きる。心臓の筋肉に炎症が起き、重症化すると心停止する心筋炎。下肢の筋肉で炎症が起き、歩行困難になる筋炎。

また、抵抗力が落ちるため、細菌に二次感染しやすくなり、細菌性の肺炎や敗血症を引き起こすこともある。敗血症になると、血圧低下、意識障害ののち、腎不全や肝不全などの多臓器不全を招いて死に至ったり、後遺症が残る場合もある。

　また、免疫の防御機能が暴走しサイトカインストームが発生すると、血液が凝固して全身に血栓を作り、心筋梗塞、脳梗塞、肺塞栓、下肢動脈塞栓などが起き、死に至ったり、後遺症が残る場合もある。

子どもを襲う「インフルエンザ脳症」

　インフルエンザの特徴は、小さな子どもに感染して重篤化するケースがあることだ。特に1～5歳の幼児は、脳細胞が障害を受け、痙攣や意識障害などを起こす「インフルエンザ脳症」を発症する場合がある。

　典型的な症状の1つは、異常行動だ。わけもなく笑い出したり、両親のことがわからなくなったり、そこにいない人や動物がいると言ったり、極端におびえて「怖い怖い」と叫んだり走り出したりする。これは、脳の感覚や感情を調整する部位が炎症性サイトカインによって障害を受けるために起きると考えられている。

　幼児のインフルエンザ脳症は、急激に起こり、多くは発熱後数時間から24時間以内に神経症状として発現する。すぐに適切な治療を受けなければ短時間で死亡することもあり、治っても後遺症が残ることも多い。

　厚生労働省の「令和元年（２０１９）人口動態統計（確定数）の概況」によると、１～４歳および５～９歳児の死因第５位はインフルエンザである。

コラム8　「ダイヤモンド・プリンセス号」の乗客を治療した自衛隊中央病院の報告書

「医療機関を受診するような病状ではなかった」陽性者たち

　２０２０年３月までに、クルーズ船「ダイヤモンド・プリンセス号」から搬送された患者など１１２名の治療にあたった自衛隊中央病院感染対処隊診療部の報告書によると、ＰＣＲ陽性であっても無症状あるいは軽微な症状の患者が非常に多く、軽微な症状の患者についても、「ほとんどが一般診療の基準に照らし合わせれば、医療機関を受診するような病状ではなかった」という。

　また、自衛隊中央病院では全員に胸部ＣＴ検査を行っており、無症状や軽微な症状の感染者であっても、ＣＴ検査を行うと約３分の２に異常陰影が見られたという。このうち約３分の２はそのまま症状が変化することなく軽快したという。

PCR検査よりもCT検査

PCR検査については混乱を極めたようだ。クルーズ船内で濃厚接触となる同室の家族や友人がPCR陽性で、本人もCT検査で明らかに異常陰影が見られるにもかかわらず、PCR陰性となる症例が一定数あったという。

また、繰り返しPCR検査を実施すると、陽性になることもあれば最後まで陰性のままのこともあり、退院確認のために2回連続のPCR検査を行った場合も、1度目は陰性であるにもかかわらず、2度目が陽性となるケースを数多く経験したという。

このことから、PCR検査については「感度はさほど高くないのではないかと考えられた」「感覚的には70％程度の感度ではないかと思われた」とし、「CT検査がPCR検査よりも感度が高い」とする海外の医療機関からのレポートに同意を示している。

◉参考文献　自衛隊中央病院HP「新型コロナウイルス感染症（COVID-19）について」

泉美　普段から「今年の風邪は長引くねぇ」ということだってありますからね。

小林　そうなのよ、わしもそれなんだよな（笑）。今年はコロナ禍でストレス高いから長引くんだよ、喘息《ぜんそく》が。

泉美　先生はずっと「わしは、肺炎にかかって自力で治したはずだ」と言い張ってらっしゃいますよね（笑）。

小林　わっはははは。今年は特に、しゃべるとすぐ咳き込むから、わしは肺炎になっていて自力で治してる最中なんだなと、自己診断してるんだよ。

泉美　そんなわけないでしょ、と思っていたんですけど。でも先日、クルーズ船「ダイヤモンド・プリンセス号」の患者を治療した、自衛隊中央病院のレポートを読み直したんです。そうしたら、無症状でもCTを撮ると、約半数の人の肺に異常陰影が見られたと書かれていました。だから、もしかしたら先生もコロナにかかって肺炎になって、そして自力で克服しているかもしれませんよ！

小林　そうやろ。わしって今年2月にコロナにかかって、それ以降ずっと肺炎の修復中で咳が出てる。

泉美　医師の話では、普通の風邪でも肺に軽い炎症が起きていることはよくあるんだそうです。それがずっと続いて高熱を出すレベルになったり、息ができなくなると重症ですが、自然に治るものもあるんですって。

小林　なるほど。今、確信したな。

泉美　でも、コロナの場合は、苦しそうな重症患者の映像ばかりを見せるから、すっかり「肺炎、恐ろしい」というイメージができてしまったんですね。

小林　マスコミもずるいよね。重症ばっかりで、「かかったけど、なーんともありませんでした」という人には絶対に取材しないからね。

泉美　まったくそうですね。重症化するとどうなってしまうのか、という話ばかりだけど、実際に重症化する人は、割合として相当少ないんですものね。

無症状で入院させられていた20代の新宿のホストたちの姿を次々と放送してみたらどうでしょうね。ベッドの上で、複数の女とスマホでずっとやり取りしているか、ゲームばっかりやっていて、ナースコールを押して「お腹空いたからカップラーメン買ってきて」と注文したり（笑）。実際に、ホストの世話をした看護師さんが、ナースステーションでカップラーメンにお湯を入れながら、なんでこんなことしなきゃいけないのかと悲しくなって泣いちゃったという話がありましたよね。

小林　そうだよ。自撮りの映像ではなくて、背後から、そーっと撮ってみてほしい（笑）。ジャーナリストは、ホテル隔離されてるところに取材に行けばいいのにな。どんどん無症状の人を取材しまくって、その映像を見せてほしいね。そして、「いやあ、暇でした」とか「10万円いつ貰えるの？」とか、ふざけた奴らの映像ばっかり流す（笑）。

泉美　お前ら、無症状なら働けこの野郎！　っていう声が殺到しそう（笑）。

小林　そのほうがいいじゃん！

薬とワクチンに期待するテレビ脳はキケン

泉美　テレビの影響がいかに絶大かということは、今回のことで本当によくわかりました。特に恐ろしいなと思ったのは、治療薬の**アビガン**[10]がブームになったこと。クドカン（宮藤官九郎《くどうかんくろう》）や石田純一《いしだじゆんいち》が飲んだという話題でテレビは持ち切りになって、岡田晴恵なんかは「早く承認していただきたい」「医療者にアビガンを持たせて、症状が出たらすみやかに飲んでほしい」とまで発言していました。

あれは見ていて恐ろしかったです。だってアビガンは、あの時点ではまだコロナの治療薬として承認されていないどころか、製薬会社からの承認申請すら提出されていなかったんですから。治験のデータも足りず、効果があるとは言い切れなくて、副作用の懸念も表明されていましたしね。医学的になんの効果も安全性も保証されていない薬を、テレビの中の専門家が「早く承認しろ」と突き上げたわけです。

小林　わしは、**薬害エイズ運動**[11]をやったからさ。薬を簡単に認可するのは本当に恐ろしいものだということが、その時よくわかったからね。よほど用心しなければならないし、臨床試験もちゃんとやらないままに、どんどん使えと言うのはむちゃくちゃだ。

泉美　日本の製薬会社の薬だし、効果があればいいなというふうに思ったけど、感情だけで無責任に突き上げるのは問題がありますね。

国会で「**ミラノ、ニューヨークの二の舞になる！**」[12]と絶叫した児玉龍彦《こだまたつひこ》も、未承認のアビガンを異常に推奨していたんですよ。ネット動画では、「何年もかけた治験ができるわけないから、飲みたい人は飲めるようにするべき」とか、「厚労省や医者とコネのある人だけがどんどん飲んでいて、庶民に行き渡っていない」とか。めちゃくちゃな陰謀論まで語っていて、震えました。

小林　もう異常だ。意味がわからん。なんでそんな人間を国会に呼ぶんだよ。

それで次は、ワクチン、ワクチンと騒ぎだしたわけだ。『モーニングショー』では、玉川徹がジャーナリストの青木《あおき》理《おさむ》に「青木さん、ワクチンができたら打たなきゃだめですよ」と迫っていたね。青木は、最初は注射が嫌いだから打ちたくないと拒否していたのに、玉川の勢いが激しいから、最後には「打ちます」と言わされてしまっていたよ。ヘタレなジャーナリストだね。

それに、ワクチンの開発状況を伝えるのが流行りになってしまってたから、みんながめちゃくちゃ期待してもいる。ただ、新型コロナウイルス感染症対策分科会の尾身《おみ》茂《しげる》会長が、**みなさんが期待されているようなワクチンが、まだ出てくるとは思わない**[13]と言っていたじゃない。わし、専門家にしては

10　**アビガン**　富士フイルム富山化学が発売している抗インフルエンザウイルス薬。一般名は「ファビピラビル」で、「アビガン」は同社の商品名。他の抗インフルエンザウイルス薬が無効な場合や、国が新型インフルエンザウイルスへの対策に使用すると判断した場合にのみ、患者への投与が検討される医薬品。

11　**薬害エイズ運動**　１９８０年代に、血友病患者に対して、加熱処理をせずウイルスの不活性化を行わなかった血液凝固因子製剤が使用されたことにより、多数のＨＩＶ感染者を生み出した薬害事件に関する抗議運動。小林は「ＨＩＶ訴訟を支える会」代表に就任し、『ゴーマニズム宣言』連載を通して読者を動員しながら、厚生省（当時）と製薬会社に対する抗議活動を展開した。

12　「**ミラノ、ニューヨークの二の舞になる！**」　２０２０年7月16日、参院予算委員会の閉会中審査において、参考人として出席した東京大学先端科学技術研究センター名誉教授の児玉龍彦の発言。「来月には目を覆うようなことになります」とも述べた。

正直ですごいなと思ったよ。そのとおりだから。

泉美　市場に出回ってから、予期しない副反応がわかることもあるから、過大に期待しないでと牽制していましたね。アビガンのお祭り状態を見たから、マスコミに対する警戒があったんじゃないでしょうか。

小林　多分、そうだろうね。それからもうひとつ、ワクチンの話でおかしいと思うのは、テレビのコメンテーターが「なぜ日本はオリジナルのワクチンを作らないのか」と偉そうに言うわけ。

泉美　外国から買うんじゃなくて、日本で研究して、日本産のものを作りなさいという意見ですね。でも、日本では欧米ほどコロナが流行していないから、研究を進められないと思うんですけど。

小林　そう。それに加えて、そもそも市場原理的におかしいんだよ。ワクチン開発に予算をぶち込んでも、**できあがったものを日本人が打つのかどうか、それが売れるのかどうかがわからない**。[14] ものすごい開発費をかけたのに、もはやコロナへの関心が失われて、誰も使わないということだってありえる。それなら、外国から買ったほうがいいという話になる。政府にはそういう計算があるんじゃないかと思っているんだよね。

泉美　なるほど！　そうかもしれない。ワクチンの開発費には何百億円もかかるんですよね。研究室では完成しても、実際に人々に打ってみたら、効果よりも副反応のほうが大きくなってしまって、すべてがパーになることもザラで。

小林　そうそう。だから、ワクチン開発にそこまで政府と製薬会社がおカネを注《つ》ぎ込まない、そこはさすがに賢いね、商売人だなと思うわけ。だって、今後、コロナを指定感染症から解除する時が来たら、普通の風邪になってしまうんだから、そうなりゃもうワクチンは見向きもされないよ。打つのは玉川徹ぐらいじゃないか？

泉美　先生は、絶対に打たなそうですよね。

小林　わしは、インフルエンザでも打たない。自分で治すというふうになっているから。

泉美　私も、赤ちゃんの頃や、子どもの頃に打って以来、自分で打ちに行ったことはないですね。インフルエンザのワクチンも、いろんな型があるので、季節が逆の南半球の様子を見て、「次はきっとこの型が来る」と予想して作るんですって。でも、基本的には博打《ばくち》だし、製造中にウイルスが変異することもあるし、絶対的な効果があるというものでもないんですよね。

小林　それでいて、わしは、**よしりん企画の従業員**[15]には「インフルエンザが流行しているからワクチンを打っておけよ」と言っている。

泉美　そ、それは……周囲にワクチンを打たせることによって、絶対打たない先生が守られるという、よしりん企画における集団免疫作戦？

小林　そうだね。だって、仕事が滞るからね。漫画家って厳しくて、締切りはこの日だと言われたら、どうしても間に合わせなければいけない。ぎりぎりのところで1人がダウンしたら、もう上がらないんだ。一人がインフルエンザで倒れて、2、3日休んだだけで、原稿を落とすことになるんだよ。そして、わしは、インフルエンザになっても人と会わずに絶対に描く。だから、従業員にはワクチンを打

13 **みなさんが期待されているようなワクチンが、まだ出てくるとは思わない**　2020年8月21日、政府の新型コロナウイルス感染症対策分科会の記者会見において尾身茂会長は、各国で開発が進められているワクチンは、有効性や安全性について不明な点が多く、理想的なワクチンが開発される保証はないと強調した。

14 **できあがったものを日本人が打つのかどうか、それが売れるのかどうかがわからない。**　日本では、65歳以上の人や、60〜64歳で基礎疾患を有する一部の人については、インフルエンザワクチンと肺炎球菌ワクチンが定期接種の対象となっている。しかし、インフルエンザワクチンの接種率は5割、肺炎球菌ワクチンの接種率は3割にとどまっている。

15 **よしりん企画の従業員**　作画アシスタント4名と、秘書1名。

てと言っているんだ。

志村《しむら》けんの死と、新型コロナにかかった有名人のこと

泉美　コロナで死んだ人の葬儀については、本当にひどい話だなあと思いました。遺族にも対面させずに遺骨になって帰ってくるという。しかも、テレビがまた、**志村けん**[16]さんや**岡江久美子**《おかえくみこ》[17]さんの自宅に張り付いて、遺骨がもどる様子を実況したりしました。「最後には家族とも会えない！　これがコロナの恐ろしさです！」なんて言って。

厚労省のガイドラインには、コロナでも葬儀できることが書いてある（**図3**）のに、そういう正しい情報を伝えるテレビはなかったし、「ここまでする必要はない」と説明する専門家もテレビには登場しませんでした。いずれ、なんであそこまで過敏なことをしていたんだろうという話になってしまうんじゃないかなと思うんですけどね。

小林　そうだね。でも、志村けんの話は、それ自体がギャグのような気がしてしまった。あんな時にガールズバーに遊びにいって、コロナで死ぬのかと。そのこと自体がコントみたいで、驚きなんだよ。「さすが志村けんだ」って思っちゃうんだよね。

16　**志村けん**　１９５０年～２０２０年。コメディアン。ザ・ドリフターズのメンバーとして一世を風靡《ふうび》し、晩年まで精力的に活動した。

17　**岡江久美子**　１９５６年～２０２０年。女優、司会者。１９９６年から17年間『はなまるマーケット』の総合司会を務め、親しまれた。

コロナ死の葬儀に関する厚労省のガイドライン

「新型コロナウイルス感染症により亡くなられた方及びその疑いがある方の処置、搬送、葬儀、火葬等に関するガイドライン」より抜粋

通夜、葬儀　対応のポイント

新型コロナウイルス感染症により亡くなられた方の通夜、葬儀については、現下の社会状況から、執り行われる機会が少なくなっていますが、今後の社会状況の変化や遺族等の方の意向を踏まえ、執り行うことが可能かどうか検討してください。

「第2章 個別の場面ごとの感染管理上の留意点」より

問　新型コロナウイルス感染症により亡くなられた方及びその疑いがある方の遺体は、24時間以内に火葬しなければならないのですか。

回答　新型コロナウイルス感染症により亡くなられた方及びその疑いがある方の遺体は、24時間以内に火葬することができるとされており、**必須ではありません**。〈略〉

問　遺体からの感染リスクが低いという根拠は何ですか。

回答　新型コロナウイルス感染症は、感染者の咳やくしゃみ、つば等による飛沫感染や接触感染で感染すると一般的には考えられています。したがって、咳やくしゃみをしない**遺体からの飛沫感染のリスクは低く**、接触感染対策を講じることでコントロールが可能です。WHOのガイダンスにおいても、遺体の曝露から感染するという根拠は現時点(2020年3月24日版)では低いとされています。

問　遺体を動かしたときに、咳やくしゃみのように、肺の拡張・収縮により飛沫が発生しますか。また、飛沫感染の原因となり得ますか。

回答　死後硬直で肺の拡張や収縮は起きないため、**遺体を動かしても飛沫の発生はない**と考えられます。〈略〉

「質疑応答集(Q&A)」より

データ参照元／厚生労働省HP

図3

泉美　最後の最後まで、芸人らしく遊び人としての生きざまを貫いて、めちゃくちゃ大注目されながら、よりによってコロナで死んじゃったということが、いかにも志村けんらしいじゃないか、ということですよね。だけど、テレビの中の芸人たちが、「志村けんさんは、私たちにコロナの怖さを教えてくれたんです」と泣きながら言っているわけですよ。

小林　バカなのか。志村けんを「悲惨なコロナの犠牲者」というふうに言ってしまったら失礼。失礼極まりないわ！　タバコをバカバカ吸って、すでに肺炎で入院もしていたのに、わざわざコロナの最中にガールズバーに行って、わざわざコロナをもらってきて、そしてチョイと死んでみせた。「なんて凄い芸人だ！」と言わないといけない。どうやったって人は騒ぐよ、そんな死に方したら。さすがだなあという感覚しかないよ。
　それって、**勝新太郎**《かつしんたろう》[18]がパンツに麻薬を隠して捕まった時に、「**これからはもうパンツをはかないようにする**[19]」と言った時の衝撃と同じだよね。あれは「さすが勝新太郎だなあ」と思ったよ。でも、犯罪者を持ち上げるのかとか、死者を冒瀆《ぼうとく》するなとか言い出すんだよな。洒落がわからないよね、みんな。

泉美　そうですね。「悲惨だ」ということしか見えなくなっていますし、有名人の死は、コロナの怖さを増幅させるためにしか利用されませんでしたね。

小林　そうだよね。軽症や無症状になってくると、ある意味、コロナにかかった有名人が得しているところもあるんだよ。乃木坂《のぎざか》の誰とか、ジャニーズの誰とか、全然知らない人だって、テレビで報じられるんだから。

泉美　あるある。その影響、私、もろに受けています。元阪神《はんしん》タイガースのコーチだった**片岡篤史**《かたおかあつし》[20]が、鼻にチューブをつけたまま、息も絶え絶えに「コロナに……かかってしまいました……」という自撮り動画を自分のＹｏｕＴｕｂｅチャンネルに公開して、それがワイドショーで繰り返し流されたんですよ。

小林　あったあった。

泉美　私、「元プロ野球選手なのに、なんでこんな情けない姿を自撮りするんだろうか」と思いつつ、野球が好きなのもあって、その番組をのぞいたんですよ。そしたら、清原和博《きよはらかずひろ》とか、桑田真澄《くわたますみ》とか、スターと面白い話ばっかりしてるから、うっかり見入ってしまって、そのままチャンネル登録しました（笑）。

小林　へええ。

泉美　有名人の場合は、コロナにかかったことが結果的に宣伝になっている場合もあるし、誰も彼もが、コロナの悲惨な犠牲者なんだという感覚で扱うのもまた、バランスを崩していますね。恐怖で洗脳しようとするテレビの問題でもあります。

延命治療と突然流行《はや》りはじめた敬老心

泉美　コロナで話題になったものに、ECMO《エクモ》[21]（体外式膜型人工肺）がありますね。

18　**勝新太郎**　1931年〜1997年。俳優、歌手、映画監督。大映（現・角川映画）の看板俳優として活躍した後、プロダクションを設立し、映画やテレビ作品制作にも携わった。

19　**「これからはもうパンツをはかないようにする」**　1990年、ハワイのホノルル国際空港で下着にマリファナとコカインを入れていたとして現行犯逮捕された勝新太郎が、保釈後の記者会見で述べた言葉。

20　**片岡篤史**　1969年生まれ。元プロ野球選手・コーチ、野球評論家。新型コロナに感染し、入院中の自身の姿を撮影して公開したことで話題になった。

21　**ECMO**　人工肺とポンプを用いた体外循環による治療の総称。人工呼吸器や昇圧薬などでは救命困難な重症呼吸不全や循環不全に適応される。

小林　ＥＣＭＯはスタッフが４～５人ぐらいつきっきりで見なければならない装置なわけだ。確かにすごいと思うよ。相当に重症化した人でも何人かは回復させられるんだから、医療技術がすごく発達したものだよね。ただ、外国ではそこまでやっていないでしょう？　実際に、外国では重症化して人工呼吸器を装着した人間が、かなりのパーセンテージで死んでいる。

泉美　そうですね。欧米は**トリアージ**[22]が行われた国もあります。

小林　日本は人工呼吸器を装着しても70～80％の人は生き残っているから、そこも違うんだよね。そこまで必死になって治療する医療者は外国にはいない。でも、日本人は、それこそ強迫観念に駆られたように、命を救おうと頑張るわけですよ。

　日本人の潔癖症はいいようにも、悪いようにも働くともいえるね。悪い方向にいけば、怖くて外にも出られず自粛するようになってしまう。でも、いい方向にいけば、医療現場で働く人たちの潔癖症が発揮されて、何が何でも命を救おうというところに向かう。それが死者の少なさにも表れる。

泉美　国民性が、両方の形で表れたということですね。

小林　ただ、わしは、自分ひとりでそんなに多くの人たちの手を煩わせながら、老人になってまで生き残りたいとは思わないんだよ。「ほっといていいよ」と。何が何でも治療してくださいという感覚もない。

泉美　介護施設に入居する時にアンケートを取ったり、一般の高齢者の話を聞いたりすると、「自分は延命治療を望みません」と答える人が多いんですよね。家族も、無理な延命治療や、胃ろうでベッドに縛り付けられている人の姿を見たりして、「ああいうふうにはしたくない」と思っている人がわりと多いし、私も家族とはよくそういう話をしていました。

　ところが、いざとなると、家族のほうが「これで終わるのは納得できない」という気持ちになって、土壇場で「なんとか延命してください」と、本人の意思とは違う結果になってしまうことも多いんですって。

小林 なるほどね。

コロナでは「高齢者を守るために、若い人は動き回ってはだめ」と言われた。でも、わしはこれを聞くと、老人をなめてるのか、バカにしてるのかという気がする。老人は全員が幼児なのか？ よく、年をとると赤ちゃんみたいになると言われているから、老人というのは大人としての個を持っていないかのように、誰もが思っているのかな。

泉美 老人を異様にちやほやかわいがってるように見えるということですね。

小林 そうそう。そういう老人しかいないわけ？ それは敬老じゃなくて、本当は自分自身がコロナを怖がっているから、「高齢者を犠牲にしてはいけないから」という言い訳をしているだけだと思う。

泉美 「あなたが無症状でも、感染させたお年寄りが死ぬかもしれない」と言われて、自分が加害者になりたくないという、罪悪感を植え付けられたような心理もあるかもしれません。なんだか偽善的な敬老キャンペーンが盛り上がりましたね。

小林 普段から、そんな敬老精神が日本人にあった？ 不思議なんだよね。

泉美 私は高齢者好きなので、わりとあるほうですけど。

小林 そうか。わしは、根本的にないね。おじいちゃん、おばあちゃんはとっくに死んでしまったからそういうのはないし。今は**核家族**[23]で、三世帯同居でなくなっている時点で本当は親不孝でしょう？ 例

22 **トリアージ** 医療資源が制約される中で、重症度に応じて搬送や治療の優先順位を決めること。語源は「選別」を意味するフランス語の「トリアージュ」。

23 **核家族** 「夫婦のみ」「夫婦と未婚の子ども」「父親また母親とその未婚の子ども」の世帯。

えば、台湾に行けば、老人から子どもまでがみんな一緒にいたりする。街角でもよく年寄りを見かけるから、「ああ、ここは老人が敬われているんだろうな」と思うけれどね。

でも、儒教的な感覚がそれほど強くない日本人がそんなに敬老精神を発揮していたかどうかはわからない。急に、コロナでとてつもなく老人を愛するような状態になったから、おかしいと思うわけ。やはり、死生観そのものが全然定まっていないからじゃないか。

泉美　死生観、そこですね。実際に死ぬようなウイルスではないんだけど、死にたくないという理由で、とんでもない醜態をさらしてしまった人が大勢います。

小林　そうそう。わしは、こんなに日本人が情けなくなったのかなと思ってびっくりしたね。ここまで腰抜けで弱虫になったのかと。わしは、老いたら円熟して生きたい。赤ちゃんに戻りたくないし、赤ちゃん扱いもされたくない。

手術キャンセル140万件、本当の医療崩壊

泉美　コロナの「**指定感染症**[24]」という縛りが解かれないことが、本当にいろんな混乱を起こしてしまったと思います。特に、医療現場には異常事態を起こしてしまいましたね。私が一番ギョッとしたのは、産婦人科の話です。分娩前にPCR検査をやって、陽性だったら帝王切開になり、赤ちゃんとは隔離されて、**強制的に断乳**[25]することになるんですって。

小林　それ本当なの？

泉美　はい。自然分娩だといきむ時に呼吸が荒くなって、医療者に感染させる危険が高いけど、帝王切開なら30分で終わるから安全だと産婦人科医が言っていましたよ。だいたい、産科婦人科学会は、シ

ンポジウムのパネリストに岡田晴恵を招いて、コロナ対策について話を聞いたりしているんです。

小林　うえぇ！

泉美　断乳というのもかなりひどい話ですよ。赤ちゃんは、出産後の最初に出る母乳を飲むことで、母親が持っているいろいろな免疫抗体を受け継ぐんです。そのおかげで、新生児は病原体から守られるし、だから初乳は大事なんですよということは、出産経験のある人なら常識として聞かされていることだと思います。

その人生最初に受け取る大事な母乳を、赤ちゃんに与えないんですから、そんなことを産婦人科医がやっていいのかと思いますけどね。インフルエンザでは断乳なんてしないんだし。

小林　完全に人権侵害だね。そのPCR検査だって、**偽《ぎ》陽性**[26]だったり、感染力のないウイルスの残骸でしかなかったりするんだよ（51ページ：コラム9）。そして、医療崩壊が起こるという問題の解決も、簡単な話でしょう。とにかく、コロナを「指定感染症」から外す。そしたら、すべて解決。

24　**指定感染症**　すでに知られている感染性の疾病（一類感染症、二類感染症、三類感染症および新型インフルエンザ等感染症を除く）であり、感染症法上の規定を準用しなければ、疾病のまん延により国民の生命および健康に重大な影響を与えるおそれがあるとして、政令で定めるもの。

25　**強制的に断乳**　日本産科婦人科学会、日本産婦人科医会、日本産婦人科感染症学会が公開している医療者向けガイドライン（「新型コロナウイルス感染症〈COVID-19〉への対応〈第5版〉」令和2年9月2日付）には、「（妊娠後期の感染・出産の場合）、新生児は完全な人工栄養とし、母児双方ともPCRでウイルスが陰性となるまで母体との接触は避けてください」とある。

26　**偽陽性**　本当は感染していないのに、陽性と判定されてしまうこと。検体採取や検体保存の条件、高すぎる検査感度などが原因で起きるとされる。反対に、本当は感染しているのに、陰性と判定される「偽陰性」もある。

泉美　そうですね。日本には165万床の病床があって、人口あたりの病床数は世界一なんだそうですが、3〜4月に重症者が増えた時期は、指定された医療機関でしか患者を扱うことができないというルールに縛られて、そのうちの**1.8％**[27]しかコロナ病床に回せていなかったんですって。

そんな変なことをするから、一部の病院だけが異常に逼迫《ひっぱく》して、ほかの病院はコロナを恐れて患者が寄り付かなくなるという偏りができてしまったり、予定していた手術をキャンセルしなければならなくなったりしたわけですよね。しかも、コロナ患者を受け入れた病院は、数十億円単位の赤字を抱えてボーナスカットだとか、もはや、作られた医療崩壊というような状態ですよ。

小林　そもそも、なんでインフルエンザの時は医療崩壊しないの？

泉美　全国どこの病院でも診察できるからではないでしょうか。

小林　そうだよね。だから、首相が勇気を持って、「インフルエンザは、1千万人が感染して、1万人が死ぬという被害が出ます。コロナはそれほどではありません。完全にインフルエンザ以下ですから、指定感染症から外すしかありません」と宣言してしまえば終わりだった。それ自体が、反論できない確実なデータなんだから。そうすれば、テレビが感染者数を速報することもなくなる。そして、皆がきちんと病院に通うようになる。倒産しかけている病院も息を吹き返す。

泉美　そうなんですよね。手術のキャンセルについては、相当まずいことになっています。3月末の時点で、推定で140万件の手術が中止になって、そのうちがんの手術も10万件近いそうです。この遅れをすべて取り戻すには、外科医を増やしたりして手術体制を20％ほどパワーアップさせても、45週間かかると（**図4**）。これじゃ、がんの人はステージが進んでしまうし、ほかの手術もどんどん遅れてしまいますよね。

小林　だけど、そういう人たちに対する同情は一切ないんだよ。

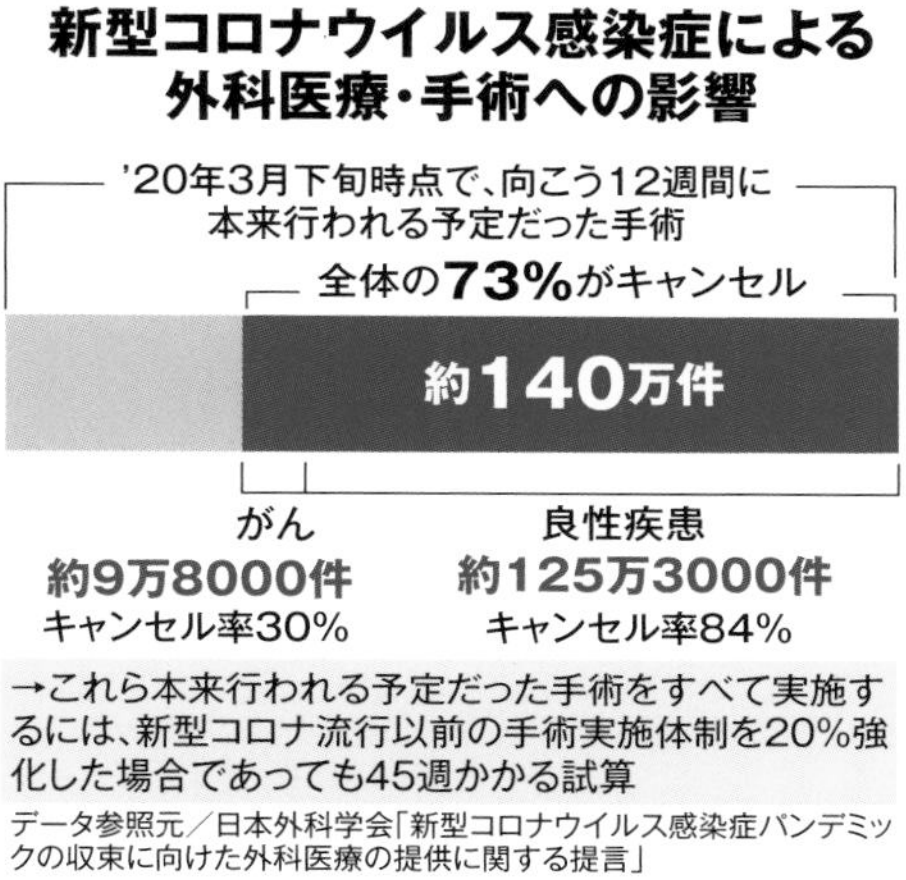
新型コロナウイルス感染症による
外科医療・手術への影響
'20年3月下旬時点で、向こう12週間に
本来行われる予定だった手術
全体の73%がキャンセル
約140万件
がん
約9万8000件
キャンセル率30%
良性疾患
約125万3000件
キャンセル率84%
→これら本来行われる予定だった手術をすべて実施するには、新型コロナ流行以前の手術実施体制を20%強化した場合であっても45週かかる試算
データ参照元／日本外科学会「新型コロナウイルス感染症パンデミックの収束に向けた外科医療の提供に関する提言」

図4

泉美　コロナ恐怖症のせいで、本来助かるはずの人が、どれだけ命を落としたのかということもいずれ検証して発表してもらいたいですね。

小林　それに、本当のことを言うなら、インフルエンザが流行していた時、医者はどうやって手術していたの？　看護師はどうやって手当てしていたの？　だって、インフルエンザのほうが感染力が強いわけだから。病院ではみんなが防護服を着ていたのかな。

泉美　着てない、着てない。もちろん、インフルエンザの院内感染が発生して、死者が出て、ニュースになることは毎年ありましたよ。でも、マスコミが詰めかけて大騒ぎしたり、テレビ番組で吊し上げるようなことは起きていません。

　だいたい、私の感覚では、病院で何かに感染するというのは、ある程度は当たり前のことだと思っているんですけどね。なんだか、いつの間にか「病院はクリーンで清潔で完全無欠の場所のはずだ」というイメージができあがってしまったように思います。白衣で、滅菌されているイメージはあるけど、実際には、病院はいろいろな病気の人が集まる場所で、不潔なところでもあるんですよ。その中で感染対策をしながら治療するんだから、院内感染でそんなに騒いでどうするんだと思いますよ。

小林　わしは喘息だから、2〜3カ月に1度ぐらい病院に通って薬をもらってきているんだけど、病院に行く時は、「ここにはどんな人がいるかわからないし、妙な病気をもらったらまずいな」という感覚が普段からあるよ。

でも本当に不思議なのは、コロナ以前は、どんな病気がうつるかわからない病院に、むしろ老人が集まっていて、憩いの場所になっていたってこと。

泉美　そういえば、そうだった！　病院に行くことが日課であり、その人の生きがいの部分もあって、待合室で「きょうは小林さんが来てないけど、病気にでもなったのかしら」みたいな会話をしていたんですよね（笑）。

小林　そうなんだよ。そこが不思議なわけだねえ。コロナになったら、急に病院は危ないかもしれない、不潔かもしれないと思いはじめる老人も変な奴らだな。それに、普段から、病院に行ったことでいろいろな感染症をもらう人はいたかもしれないけど、そういうことはニュースにもならない。インフルエンザが流行している時期は、病院で他の患者に感染させて、実はその患者が死んでいるということも起こっているということだよ。

泉美　それはあるでしょうね。通常、病院で徹底的に守られているのは、抗がん剤治療を受ける人や、白

27　**1.8％**　新型コロナが指定感染症に指定されたため、コロナの患者を受け入れられる医療機関や、使用できる病床が極端に制限され、全国165万床のうち約3万床に限られた（5月20日時点）。この措置がもとで、他の一般入院患者の転院や手術キャンセルなど、多大な影響が及んだ。

コラム9　「無症状者の半分が人にうつしている」は本当か？

WHO専門家「無症状者からの感染は非常にまれ」

「無症状者の半分が人にうつしている」と言われるが、この説には明確な科学的根拠はない。

2020年6月8日、WHOの新型コロナ担当専門家マリア・バンケルコフ氏が、無症状感染者からの感染は「非常にまれ」と発言。これはCDC（米国疾病予防管理センター）の「約3割は無症状者が感染させている」、イギリスの臨床疫学者の「3～5割は無症状者が感染させている」などの見解と食い違ったため波紋を呼んだ。バンケルコフ氏は翌日、WHOの方針を示したわけではないと釈明し、感染の大半はあくまでも症状のある患者の飛沫で起きるとしたうえで、「一部の無症状者が感染を広げる可能性は不明だ」「大きな未解決の問題だ」と発言をやや修正した。

ところが2020年8月、米国の学術誌『Annals of Internal Medicine』で、中国の研究グループが、無症状者からの2次感染率は0.3％であったというデータとともに、「より重度の症状を持つ患者は、より高い感染力を持っていたが、無症状の症例からの感染力は限られていた」と発表し、話題となった。

「陽性者の90％がウイルスを持っていなかった」

PCR検査法の感度も問題になった。米国では8月下旬、マサチューセッツ州、ニューヨーク州、ネバダ州の3州において検査内容を精査したところ、陽性判定された人の最大90％がほとんどウイルスを持っていなかった可能性が指摘された。

PCR検査法では、採取した検体から微量のウイルスの遺伝子を取り出し、検出可能な濃度まで増幅することで判定を行っている。この増幅の回数（サイクル数）が高すぎて、感染力のないウイルスの残骸を検出してしまい、感染者とはいえない多くの人が陽性判定されていたのだ。日本でもPCR検査のサイクル数については精査する必要があるだろう。

研究は世界中で常に更新されている。当初の結論に固執し続けない柔軟性と、国民生活とのバランスをとった思考が必要だ。

東京都におけるインフルエンザの集団事例報告数

	'19-'20シーズン	'18-'19シーズン	'17-'18シーズン
保育所	685	1,433	1,292
幼稚園	118	248	325
小学校	1,610	1,807	2,580
中学校	274	454	650
高等学校	29	75	80
医療機関	25	105	57
社会福祉施設	65	438	306
その他	5	15	8
合計（件数）	2,811	4,575	5,298

※38度以上の発熱かつ急性呼吸器症状（鼻汁若しくは鼻閉咽頭痛、咳のいずれか1つ以上）を呈した、インフルエンザ様疾患の場合
※学校で臨時休業（学級閉鎖等）があった場合、あるいは施設等から保健所に集団発生の報告があった場合の報告数を集計したもの

データ参照元／東京都感染症情報センター「インフルエンザの流行状況（東京都　2019-2020年シーズン）（東京都　2018-2019年シーズン）」

図5

血病の人などですよね。確実に抵抗力が落ちるので、無菌室に入ります。ところがコロナでは、全員が白血病患者かのような扱いになってしまった。

小林　完全に狂っている！「あの病院でクラスターが出た」と言うけど、病院の中でもインフルエンザのクラスターは出るさ。それが普通だったんだよ（図5）。病気をうつしたからといって、「殺人者になりますよ」とまで言うけど、実はもう、みんな殺人者なんだよ。

泉美　出たー、先生こわーい（笑）。

小林　だって、自分がインフルエンザにかかっていたって、正月や盆には帰省するでしょう？　さすがに、熱が38度も出ていたら動けないけど、微熱程度だったら、「もう飛行機のチケットもとっているし、帰ろう」とか言って。

泉美　はい。そうです。そして、実家でゆっくり寝ようと考えたりしますね。

小林　そしたら、帰省先のじいさん、ばあさんにうつしてるよ。そして、その後、そのじいさん、

国内9研究（市中肺炎3,077症例）、上位10病原微生物（メタアナリシスにより95%信頼区間を追加）

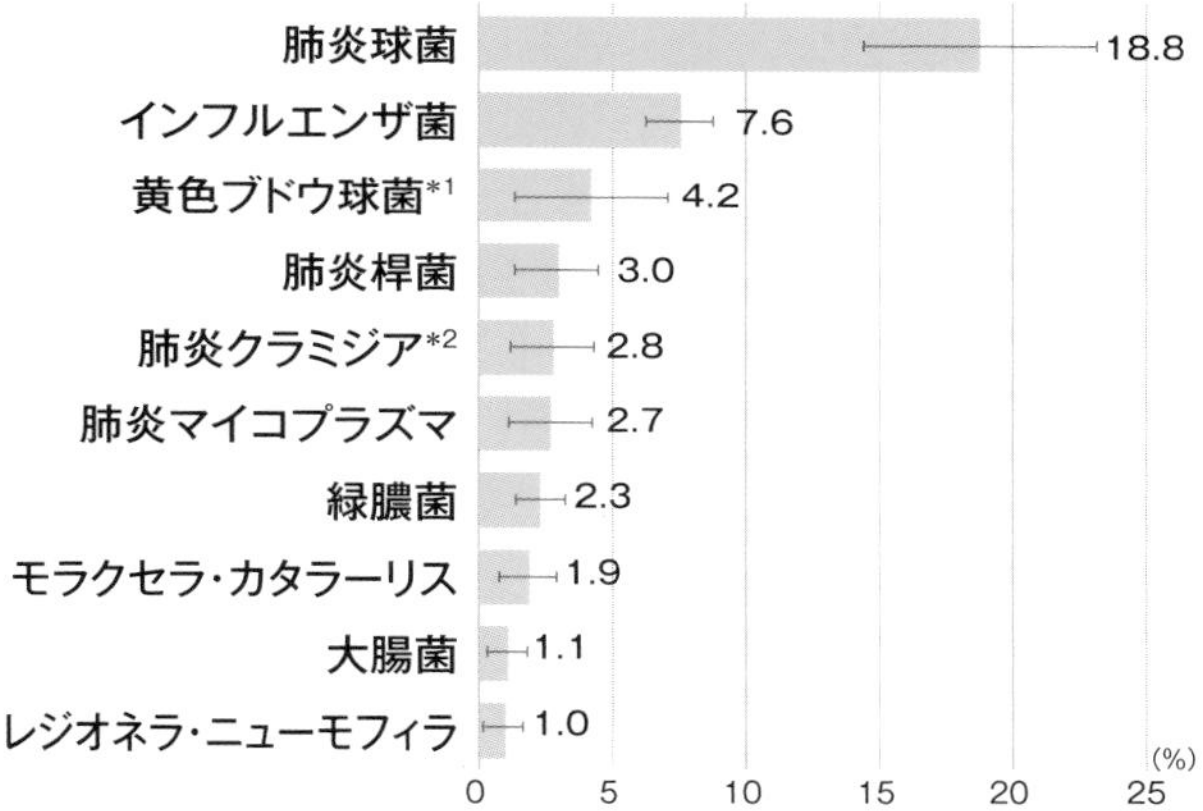

*1：MISSA、MRSRを区別している201株のメタアナリシスではMRSRは28.4%（95%CI 13.2-43.6）であった。
*2：Micro-IF法による診断率（2論文）28/922-3.0%、ELISA法による診断率（5論文）71/2,022-3.5%
日本呼吸器学会「成人肺炎診療ガイドライン2017」より

肺炎球菌の感染イメージ

小児の鼻や喉の奥に棲みつく肺炎球菌が、
成人へと感染することで起こると考えられる

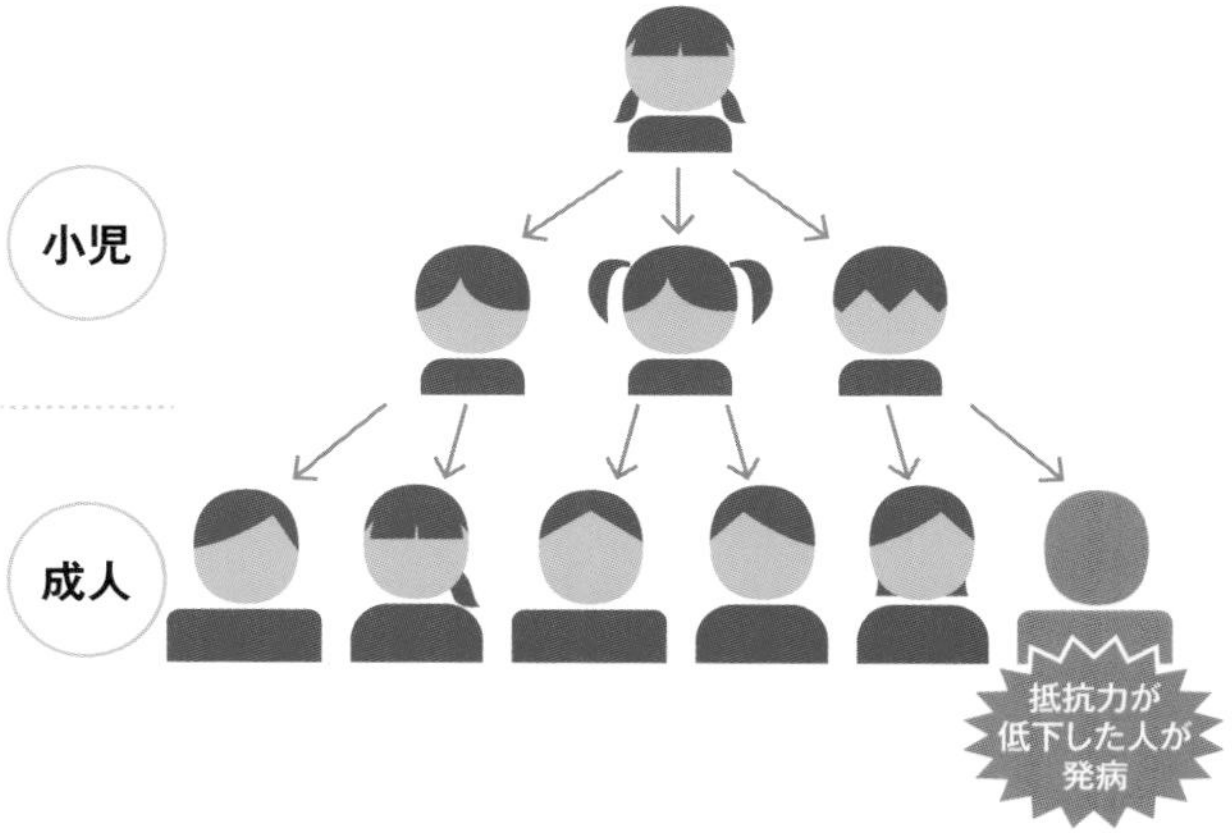

図6

高齢者を対象にした肺炎球菌ワクチンの定期接種を実施しています。

定期接種の対象者は毎年度異なるため、接種の機会を逃さないようにご注意下さい

2020(令和2)年度(2020年4月1日から2021年3月31日まで)は①もしくは②の方が定期接種の対象です。

対象者①(生年月日)

2020(令和2)年度に	
65歳となる方	昭和30年4月2日生～昭和31年4月1日生
70歳となる方	昭和25年4月2日生～昭和26年4月1日生
75歳となる方	昭和20年4月2日生～昭和21年4月1日生
80歳となる方	昭和15年4月2日生～昭和16年4月1日生
85歳となる方	昭和10年4月2日生～昭和11年4月1日生
90歳となる方	昭和5年4月2日生～昭和6年4月1日生
95歳となる方	大正14年4月2日生～大正15年4月1日生
100歳となる方	大正9年4月2日生～大正10年4月1日生

対象者②

60歳から65歳未満の方で、心臓、腎臓、呼吸器の機能に自己の身辺の日常生活活動が極度に制限される程度の障害やヒト免疫不全ウイルスによる免疫の機能に日常生活がほとんど不可能な程度の障害がある方

※過去に高齢者を対象にした肺炎球菌ワクチン(23価肺炎球菌ワクチン(一般名:23価肺炎球菌莢膜ポリサッカライドワクチン、商品名:ニューモバックスNP))の接種を受けたことがある方は定期接種の対象となりません。

肺炎球菌ワクチンとは

肺炎球菌には90種類以上の血清型があり、定期接種で使用される「23価肺炎球菌ワクチン(一般名:23価肺炎球菌莢膜ポリサッカライドワクチン、商品名:ニューモバックス NP)」は、そのうちの23種類の血清型を予防の対象としたワクチンです。この23種類の血清型は、成人侵襲性肺炎球菌感染症の原因の約6割～7割を占めるという研究結果があります。

※侵襲性感染とは本来は菌が存在しない血液、髄液、関節液などから菌が検出される感染症のことをいいます。

過去に「23価肺炎球菌ワクチン」を接種したことがある方

「23価肺炎球菌ワクチン」を接種したことがある方は定期接種の対象とはなりません。また、「13価肺炎球菌ワクチン(一般名:沈降13価肺炎球菌結合型ワクチン、商品名:プレベナー13)」は、2020(令和2)年4月1日時点では定期接種に使用できません。ただし「13価肺炎球菌ワクチン」を接種したことがある場合でも「23価肺炎球菌ワクチン」を定期接種することができます。

肺炎球菌ワクチンの接種後には副反応が生じることがあります

肺炎球菌ワクチンの接種後にみられる主な副反応には、接種部位の症状(痛み、赤み、腫れなど)、筋肉痛、だるさ、発熱、頭痛などがあります。接種後に気になる症状や体調の変化があらわれたら、すぐ医師にご相談ください。

予防接種健康被害救済制度について

定期の予防接種による副反応のために、医療機関で治療が必要な場合や生活が不自由になった場合(健康被害)は、法律に定められた救済制度(健康被害救済制度)があります。制度の利用を申しこむときは、お住まいの市町村にご相談ください(制度を利用するためには、一定の条件があります)。
※詳細は、厚生労働省HPをごらんください。「予防接種 救済制度」で検索できます。

高齢者を対象にした肺炎球菌ワクチンの定期接種※1を実施しています。

※1 予防接種法に基づき市区町村が実施する定期の予防接種

肺炎球菌とは

肺炎球菌は主に気道の分泌物に含まれる細菌で、唾液などを通じて飛沫感染し、気管支炎や肺炎、敗血症などの重い合併症を引き起こすことがあります。
肺炎はわが国の死亡原因の第5位となっています。また、日常的に生じる成人の肺炎のうち1/4～1/3は肺炎球菌が原因と考えられています。

定期接種の対象者は

主に65歳以上で裏面の生年月日に該当する方は、肺炎球菌ワクチンの定期接種を1回受けることができます。定期接種の対象となる方は毎年度異なるため、この機会を逃さないようにご注意ください※2。
くわしくは裏面をご覧ください。

※2 過去に高齢者を対象にした肺炎球菌ワクチン(23価肺炎球菌ワクチン(一般名:23価肺炎球菌莢膜ポリサッカライドワクチン、商品名:ニューモバックスNP))の接種を受けたことがある方は定期接種の対象となりません。

接種費用の公費負担など詳細については、お住まいの市区町村にお問い合わせください。

医療機関名

厚生労働省　公益財団法人 予防接種リサーチセンター

厚生労働省HPより

図7

ばあさんは死んでいるってことがあるよ。だから、子や孫が、老人をどんどん殺していたんだよ。

泉美　でもそんなことには誰も気づいてもいないし、誰も責めたりしませんでしたよね。

高齢者を死に追いやる肺炎の原因第1位は「肺炎球菌」

泉美　これまで日本では、年間9万～10万人が肺炎で亡くなっていましたよね（17ページ：コラム4）。そのうちの3分の1ぐらいの原因は、肺炎球菌という菌なんですよ。乳幼児の喉の奥にいて、咳やくしゃみでいろいろな人に感染していくんです（**図6**）。そして、抵抗力の落ちた高齢者に辿り着くと、重症の肺炎になって死に至るという。

小林　やっぱりそうだろう？　普段は幼児でも殺人者だ。

泉美　「目に入れても痛くない」と思って抱っこしていたら、死の病原体をうつされていたということがあるわけですよね。でも、孫が鼻水を垂らしながら「おじいちゃん、おばあちゃん」と

駆け寄ってきたとしても、「肺炎球菌が来たーっ！」と怖がる人なんかいなかったんですよ。しかも、肺炎球菌が危ないということは、実はめちゃくちゃ宣伝されていましたからね。厚労省がテレビCMを流したり、リーフレットを作ったりして、「ワクチンを打ちましょう」と啓発活動をしているんです（図7）。それでも、肺炎球菌は変わらず肺炎の大きな原因で、何万人もの人が毎年亡くなっているわけです。

小林　なるほど。結局、そういうことなわけよ。ものすごくコロナを意識して、「自分が人に感染させて殺すことになるかもしれない」と言うけれども、いや、普段からそういうものですよ、この世の中は。無意識に感染させて、無意識に殺しています。そういう世の中に我々は生きていますという話なんだよ。

泉美　その通りですね。

小林　こんなことを恐れていたら日常生活は送れないし、帰省もできないということになる。こんな単純なこともわからないなんて、まったく不思議だよね。

泉美　あまりにも新型コロナのみに注目したから、一切のことが相対化できなくなってしまったという。視野が狭すぎます。

小林　ものすごいわ。日本人って、どうしてこんなにバカになったのかな。

第2波なんか来ていなかった

泉美　その極致は、7月になってからの「第2波が来たぞ！」という騒ぎです。

小林　本当にバカだなと思うのは、緊急事態宣言の時の、PCR検査を少ししかやっていなかった時期と、その後、大量に検査するようになった7〜8月の感染者数を一緒くたに並べて「第2波だ」と言っている人。新規感染者数のグラフがひとつながりになっているから、緊急事態宣言の時より、たしかに感染者数は7～8月のほうがはるかに上回っているんだ。すると玉川徹なんかは、「あきらかに第2波じゃないですか」なんて言うんだよ。あれを見るたびに、わしはムカムカするわけ。本当の無知なのか、それともわざとやっているのか、どっちかはっきりしろ！　と言いたくなったね。

泉美　陽性者数の推移だけを並べた、あのグラフの使い方はひどいですね。テレビでもずっと流しているし、新聞の一面にも平気で載り続けていますからね。

小林　とてつもないミスリードだよね。

泉美　本当に。3～4月の頃は、軽症者や無症状者は無視されていて、37．5度の発熱が4日間続いてから保健所に相談するという体制でした。マスコミでは散々「必要な検査が受けられない」と騒がれていましたし、「日本の検査数の少なさは途上国並みだ」とまで非難されていましたよ。

玉川徹なんかは、「謎の肺炎死が大勢いる」「もっとたくさんの人が死んでいるはずだ」という憶測まで持ち出して、本当の感染者数はもっといるはずだと主張していたんです。だったら、第1波の新規感染者数のグラフは、実際にはもっと大きな山になるはずだと考えなきゃおかしい。

ところが、7月になって、検査数をめちゃくちゃに増やして軽症者と無症状者を山のように発見しはじめたら、今度は、実際よりも小さな山になっているはずの3～4月のグラフをそのまま利用して、「緊急事態宣言の頃よりも感染者が増えている！」と言い出したんですよね。

小林　つまり、第1波はあった。日本の場合は、中国人がどんどん観光に来ていて、さらに、ヨーロッパ人もアメリカ人も来ていて、完全にコロナの侵入を許してしまったわけだな。だから、最初の段階でドワーッと広がっていた。その衝撃が、最初にバンと来たわけだ。テレビ・マスコミで使われているあの第1波のグラフの波の大きさは正確ではない。あまりにも矮小化《わいしょうか》しすぎている。第1波は、もっ

東京都の新型コロナ検査数と陽性者数の推移

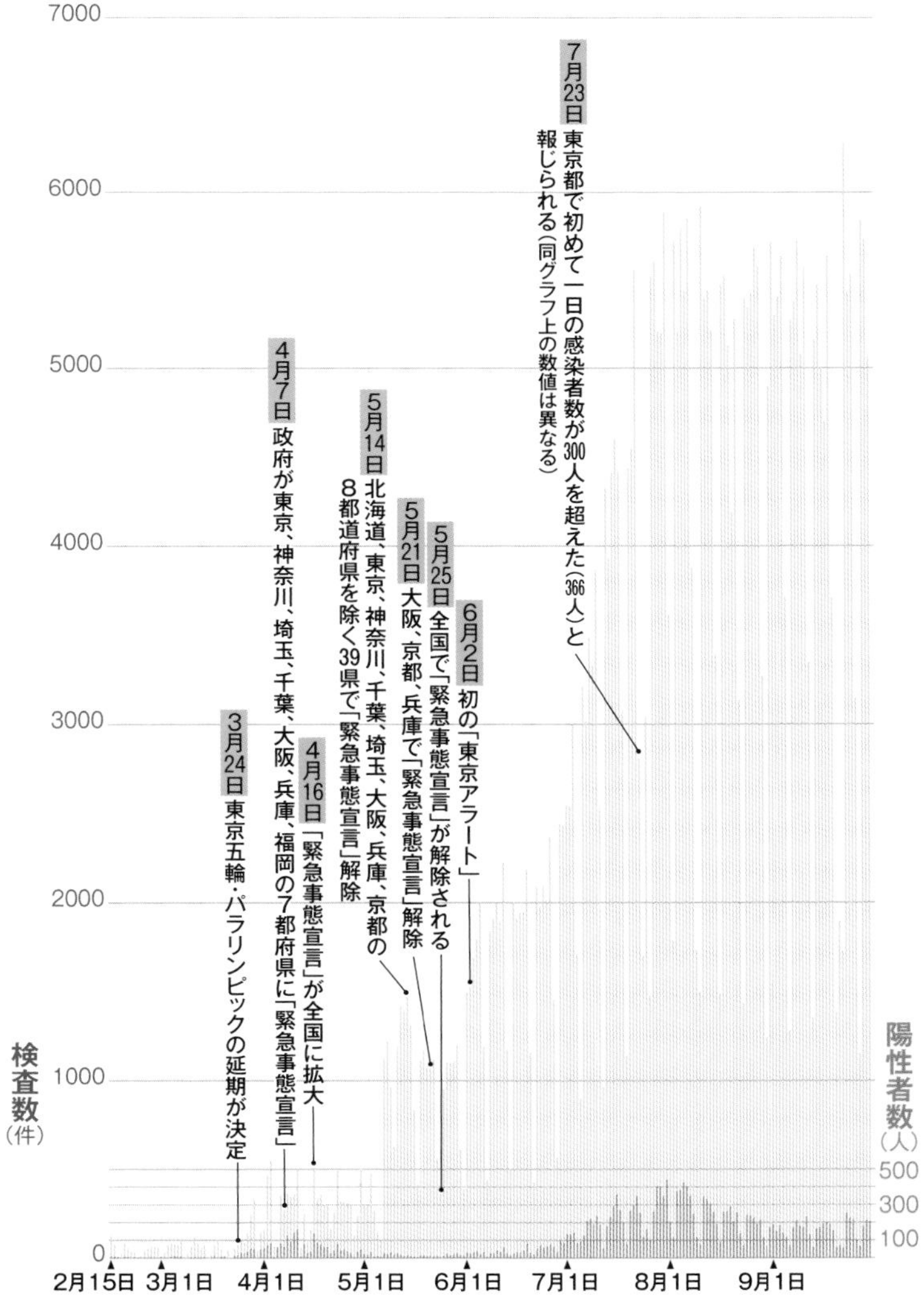

データ参照元／東京都新型コロナウイルス感染症対策サイト「モニタリング項目(4)検査の陽性率」
（期間／2020年2月15日〜9月30日）
※検査数は、PCR検査陽性者数、抗原検査陽性者数、PCR検査陰性者数、抗原検査陰性者数を合計したもの
※陽性者数は、PCR検査陽性者数、抗原検査陽性者数を合計したもの

図8

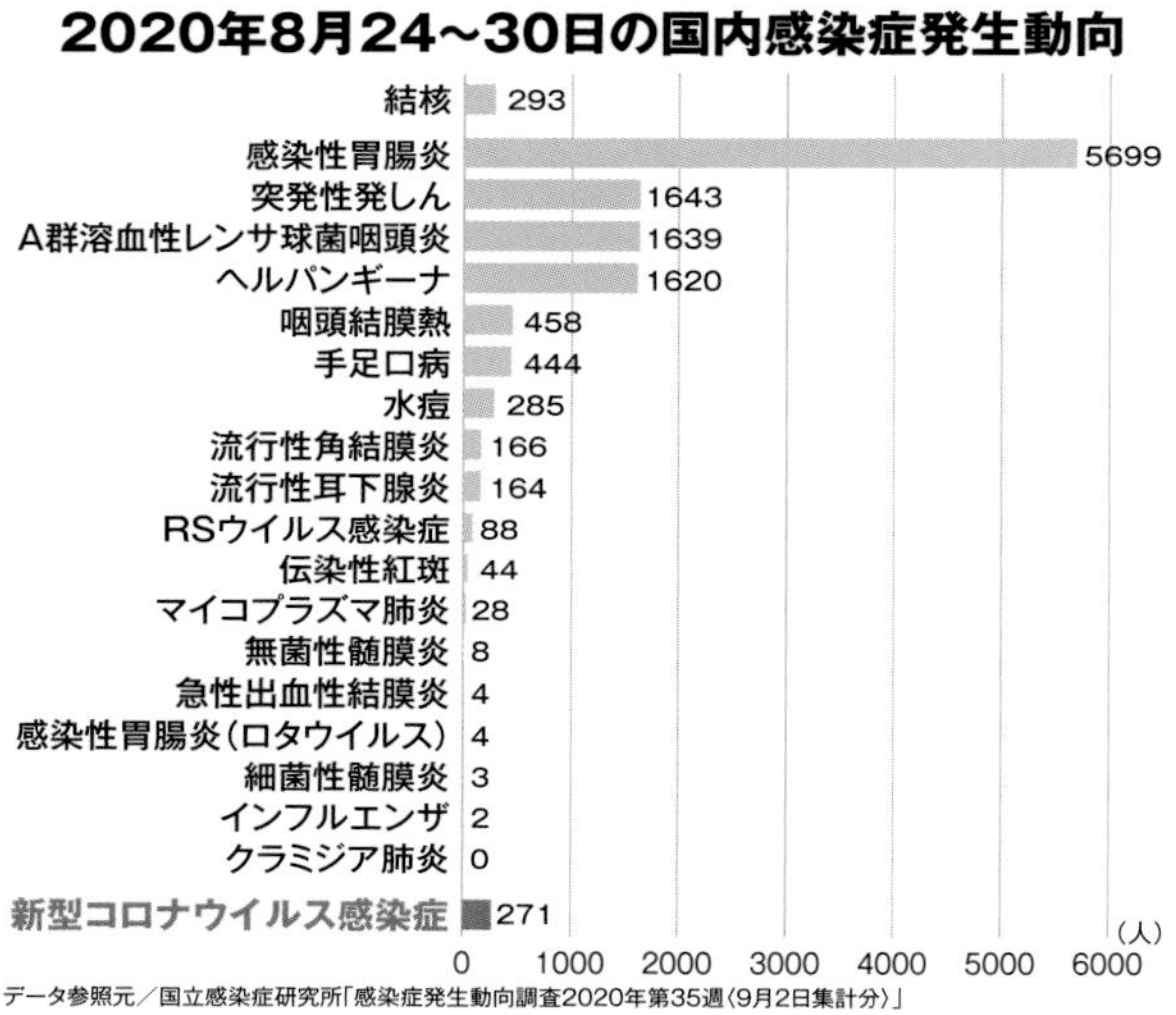

データ参照元／国立感染症研究所「感染症発生動向調査2020年第35週〈9月2日集計分〉」

図9

ともっと、とてつもなくデカいということよ。

泉美　私は、PCR検査を山ほど増やしたから、最初の頃は相手にしていなかった軽症者・無症状者が「見える化」されているだけだよということを表現したくて、検査数と感染者数を重ねたグラフを作ったんですけどね（**図8**）。そうしたら、「第2波だ」と騒がれた時期には、第1波の時と比べてとんでもなく大量の検査が行われていることが一目瞭然で、「そりゃこんなにやれば見つかるよ。ムダなことやってるなあ」という感じ。グラフもめちゃくちゃ縦長になってしまいました。

逆に、2月の最初の段階から、無症状者まですべてを発見していた場合の感染者数を推定して、グラフを修正すれば、第1波はもっとすごい高さになって、「第2波なんて、波ともいえないな」と感じるはずですよ。そういう推定値を出してくれる専門家はいないのかな？

小林　そうだよね。要するに、抑圧策をとった後に緩和したから、その反動がやってきて少し感染者が出たんだよ。恐らく、こんな調子でずっと小波が漂っていくような経過をこれから辿るでしょう。ウイルスは、なくなりはしないから、どこかでまたクラスターが出るかもしれない。

泉美　クラスターだって、7月以降のケースでは、誰かが微熱で受診して、陽性だとわかったので、その人の勤務先の同僚たちを全員検査してみたら、無症状だけど陽性の人がぞろぞろ発見されましたという話が多いですよね。

だけど、そもそも無症状の人は、本人が病気と感じていないんだから、本来は検査を受ける必要もなかった人たちです。それをわざわざ発見して、コロナ禍を盛り上げようとしているようにしか見えないですよ。

小林　そうだね。わざと続けている。本来、もう終わっている状態なのよ。そして、ウイルスの感染というものは、こうやって続いていくものなんだというのがわかった、ということだよね。

夏の間も夏風邪があるし、沖縄なんかは四季がはっきりしていないから、一年中どこでインフルエンザの流行が起きるかわからない。ただ、ウイルスはずっと人から人へ飛び移って生き残っているということなんだよね。それに、**プール熱**[28]とか、**手足口病**[29]とか、もっといろいろなウイルスが夏の間も広がっている。

28　**プール熱**　三大夏風邪の一種で、アデノウイルスによって引き起こされる。プールの水を介して感染することがあることから「プール熱」と呼ばれる。喉の痛み、目の充血、発熱が主な症状。咽頭結膜熱。

29　**手足口病**　三大夏風邪の一種で、コクサッキーウイルスA6・A16、エンテロウイルス71などによって引き起こされる。4歳位までの幼児を中心に夏に流行し、手足や口腔内に水疱が現れる。まれに急性髄膜炎や急性脳炎などを引き起こすこともある。

泉美　そうですね。8月に入ってからは、コロナよりも、胃腸炎を起こす感染症とか、**ヘルパンギーナ**[30]とかのほうが多いんです(**図9**)。そして、そういう感染症は、お腹が痛いとか、熱が出たとか、実際に症状が出て困ったから病院に行って検査したという患者さんばかりですが、コロナは、無症状なのにむりやり発見されている人がかなり含まれているんだから、本来は比べものにならないはずですね。

小林　そうだよね。検査をやるから見えてしまっているということ。もし、ウイルスの世界すべてが見えるようなカメラを作ったら、いろいろなウイルスがうじゃうじゃ飛び移っているのが見える化されてしまうよ。

泉美　恐ろしくて、見てはいけない放送禁止映像になってしまいそう……。

小林　そうそう。今まで全然意識しなかったはずなのに、うわっ、あれもこれも、全部あっちからこっちに飛び移ってるわという話になってしまう。

泉美　コロナに注目することで、風邪の症状を引き起こすウイルスの動向調査を初めて行ったようなものですよね。

小林　しかも、歴史上初のことを世界規模でやったわけだ。

スペイン風邪・第2波の謎とウイルスの弱毒化

泉美　ことあるごとに、**スペイン風邪**[31]の例を出して、「第2波はもっと恐ろしいことが起きる」というような専門家もテレビで活躍しましたね。

小林　スペイン風邪の時は第2波が来たけど、実は、どういう経緯だったのかがわからないんだよね。あれ、直後に関東大震災が起こって、何にも資料が残されていないんだよ。スペイン風邪は、日本で45

万人が死んでいるけど、関東大震災の死者は10万人なんだ。スペイン風邪のほうがずっと被害大きいけど、見た目の光景が、関東大震災のほうがすさまじいから、日本人はみんな「アチャーッ!」と思ってすべて忘れてしまったんだろうね。だから、第2波というものが必ず強烈なのかどうか、その実態もよくわからなくなったという始末。

泉美　たしかに、体調が悪いことより、地面がグラグラ揺れてそこらじゅうの建物が倒壊して大火事になるほうが怖いかも……。

スペイン風邪は、第2波で若者が大勢亡くなったんですよね。これについては諸説あります。基本的には、サイトカインストームを引き起こしやすくて、免疫力の一番強い若い年代が犠牲になったのだろうという分析。それから、当時、**アスピリン**[32]という薬がインフルエンザの治療薬として使われていたそうなんですが、これが、今の基準では危険とされる量がバンバン摂取されていたと。それで、過剰摂取による中毒死が起きていたのではないかという分析もあります。アスピリンの過剰摂取で起きる中毒症状って、インフルエンザと区別がつかないんですって。

小林　ほおお。

泉美　だから、先生がおっしゃるように、ウイルスの力だけで凶暴な第2波が起きたのかどうか、実際

30　**ヘルパンギーナ**　三大夏風邪の一種で、コクサッキーウイルスA群によって引き起こされる。乳幼児に多く見られ、まれに大人も発症する。39度以上の熱が1~3日続くと同時に、喉が赤く腫れて小さな水疱がたくさんできる。水疱はやがてつぶれて黄色い潰瘍になる。食事や飲みものを受けつけられなくなり、脱水症状を引き起こすこともある。

31　**スペイン風邪**　1918~1920年に世界各国で極めて多くの死者を出したインフルエンザによるパンデミックの俗称。

32　**アスピリン**　古くから使用されている代表的な解熱鎮痛薬。アセチルサリチル酸。

のところはよくわからないということのようですね。

それに、ウイルスの気持ちになれば、どんどん弱くなっていかないと生き残れないですよ。だってどんどん強くなってしまったら、感染した人間が死んでしまって、おいおいこれ以上感染が広げられないぞということになっちゃう。だから、私がコロナだったら、最初はとんがっていても、何人か殺したら、「これからはウィズ・ヒューマンで、平和に生きていかなきゃ」と心を入れ替えて、どんどん丸くなって優しいウイルスに変わっていきますよね。

小林　その通りなんだけど、擬人化しすぎ（笑）。結果論として、人間に対して弱毒性に変異したウイルスのほうが生き残ってしまうということだよ。つまり、ウイルスも最低限サバイバルをするということだね。みずから完全に自分自身を消滅させようとはしない。でもこれ、ウイルスの話だから本能じゃないからなあ。人間は生き残ろうという本能があるじゃない。

泉美　たしかに。システムとしてですよね。ウイルスは生殖能力がないから、必ず宿主を必要とするけれど、その宿主を殺してしまうような仕組みでは生き残れない。そして、宿主の体内でずっと変異し続けていく過程で、たまたま宿主にうまく適応するバランスのとれたところが、弱毒化。

小林　そうだね。そして、人間が自然宿主になれるかどうか、その中にウイルスが生き残っていけるかどうかで決まるということだ。これが、サイエンスだよ。

しかし、専門家にはサイエンスがないね。日本感染症学会までもが「第2波の真っただ中だ」などと騒ぎだす。だから専門家はダメなんだ。もう、わしは挑戦するよ。専門家よ、お前たちはバカだ！

ところが、わしが『コロナ論』を描き始めると、今度は「お前は専門家じゃないのに言うな」なんて言う奴が現れるんだよ。必ず、これなんだ。「専門家じゃないのに言うな」「専門家じゃないと信じない」、そして、「なんで漫画家ごときが言っているんだ」と。わしに言わせれば、よく専門家なんか

コラム10　スペイン風邪の謎

第一次世界大戦の戦争犠牲者を上回る死者

1918年に発生したインフルエンザのパンデミック「スペイン風邪（H1N1型）」は、世界で約6億人が感染し、死者は記録が残っているものだけで2千万人、実際には4千〜5千万人にのぼるとされている。日本では45万人（38万人という推計もあり）、アメリカでは67万人が死亡したとされ、その総数は、第一次世界大戦の戦争犠牲者の総数を上回っている。

当時はまだ医療技術が十分でなく、抗生物質もなかったため、肺炎を治療することが難しく、また衛生環境も栄養状態も悪かった。さらに、第一次世界大戦中であったために各国政府が情報を制御していたことも、犠牲者を増やす要因になっていたとされている。

インフルエンザパンデミックの歴史

感染症名	発生年／死者数	ウイルス型
スペイン風邪	1918〜19年 4000万〜5000万人	H1N1
アジア風邪	1957〜58年 200万人	H2N2
ホンコン風邪	1968〜69年 100万人	H3N2
ソ連風邪	1977〜78年 データなし	H1N1
豚インフルエンザ	2009〜10年 1.8万人	新型H1N1

「ウイルスと感染のしくみ」（SBクリエイティブ）より

後にも先にもない「若者が犠牲になったインフルエンザ」

通常、インフルエンザは、乳幼児と高齢者に死者が多く、20〜40歳の若者には死者が少ないのが特徴だが、「スペイン風邪」は、若者の死者が異常に多い。このような現象は後にも先にも見られないという。

これには諸説あり、死因の多くがサイトカインストームで、免疫機能の強い人ほど犠牲になりやすかったことが主たる理由と考えられている。また、前年の1917年にアメリカの製薬会社が開発したアスピリンの特許が切れて他社が生産に参入しており、パンデミックとともに過剰な宣伝合戦が行われてもいた。当時は適切な使用法が定められておらず、過剰摂取による副作用死が少なくなかったのではないかともいわれている。

死者の99％が65歳以下であることも特徴で、1889年の「ロシア風邪」が部分的な免疫となり、65歳以上の発症や重症化が抑えられたのではないかという仮説もある。

を信じられるなという話だよ。本当にどこまでバカなんだ。

泉美　私も自分の連載でコロナのことを書き始めたら、まずそう言われました。「素人の戯言《ざれごと》だ」って。いやいや、専門家が変なことばかり言うから、社会が壊れて、困っている人がいっぱいいるんだよと言いたいのに。

小林　だから、この対談をやるわけだ。これは、専門家への挑戦状だ！

泉美　おおう！

小林　専門家よ、お前たちはバカなんじゃないか。「サイエンス」と言うなら、なぜインフルエンザと比べないんだ。日本で起きている感染症なんだから、まず最初に日本国内のインフルエンザと比べろ。そこを放棄してスタートしたのが間違ってるから、むちゃくちゃになってしまったじゃないかよ！　これが、わしの腹立たしさだ。もう、専門家なんか信じないぞ。

第二章 命より経済のほうが重い

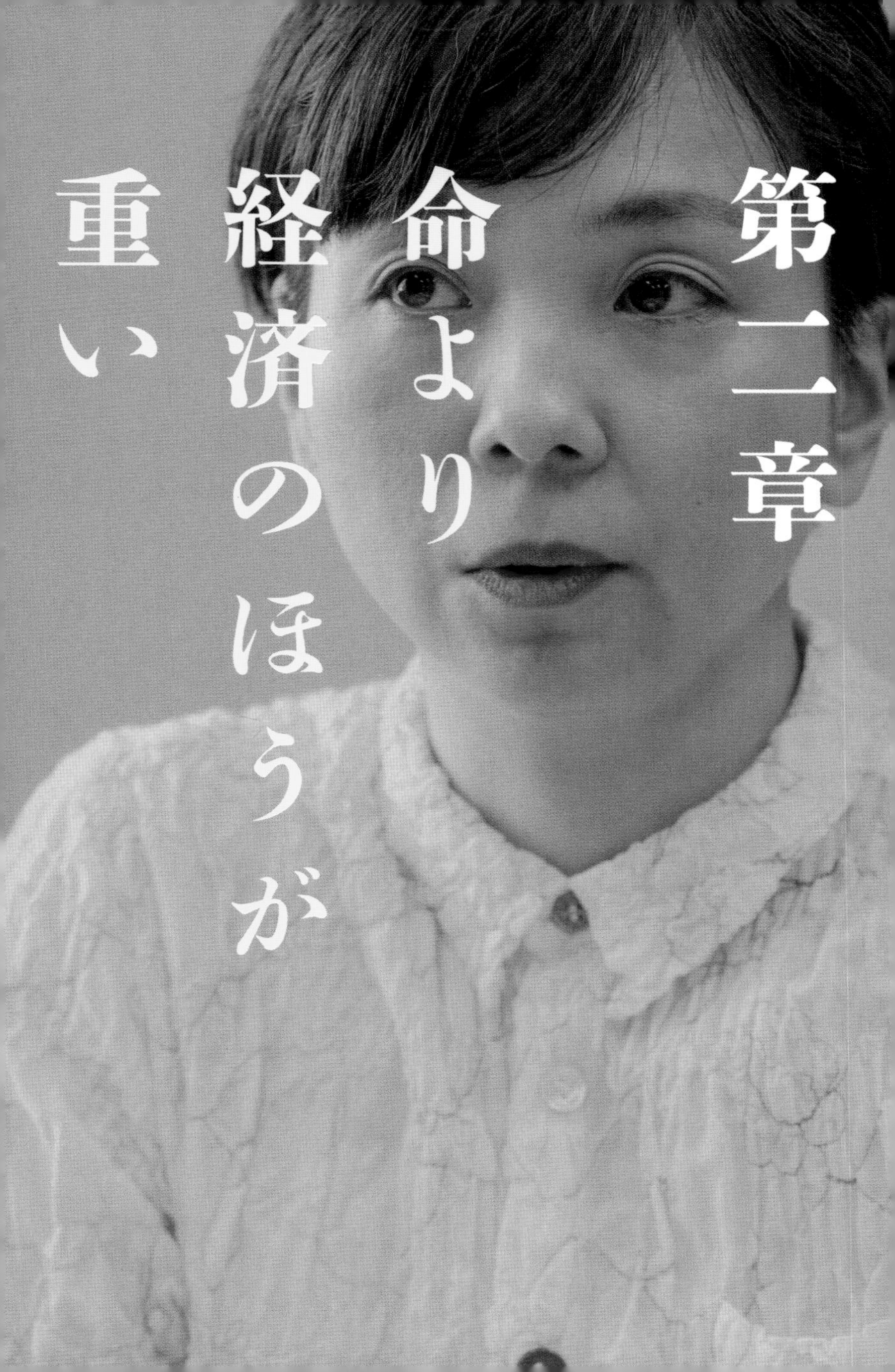

占い師と化した専門家の「2週間予言」

泉美　テレビに登場する専門家は、ひたすら恐怖を煽って「経済よりも命が大事だ」という刷り込みをやりましたね。岡田晴恵は「**『人を見たらコロナと思え』**[1]**みたいになっちゃうわけですから**」とまで言って、玉川徹と一緒に何が何でもステイホームと営業自粛をさせようとしましたし、他にも次々と専門家が、まったくサイエンスとは思えない変な予言を次々と飛ばしました。特に、「東京は2週間後、ニューヨークになる」という予言は、3月末からめちゃくちゃ流行りましたね。

小林　そうそう。「2週間予言」というのはめっちゃ流行ったね（**図10**）。

泉美　「2週間後にはニューヨークになる」「2週間後には医療崩壊が起きて地獄になる」。でも、2週間たってもニューヨークにも地獄にもならなくて、今度は「重症者は遅れてやってくる。2週間後に現れる」とか言い出すという。ホラー映画の予告編かって感じです。

小林　だからさ、わしは、岡田晴恵が『モーニングショー』で2週間予言をやっているのを見て、「全員で2週間後が本当にニューヨークになるかどうかを見張ろうぜ」と言って、2週間後の日付をブログに書き込んだんだ。そしたら、すぐに泉美さんから「先生、もう2週間は過ぎています」と言われて、ガチョーン！　みたいなこともあった（笑）。

泉美　私が最初に2週間予言を聞いたのは3月末で、先生がブログに書かれた時にはもう半月以上たっ

1　「**『人を見たらコロナと思え』**……」　岡田晴恵による2020年4月22日放送『羽鳥慎一モーニングショー』の中での発言。

専門家による「2週間予言」

「今ここで気を抜くと、東京もイタリアやニューヨークのようになりかねません」

日経ビジネス電子版　2020年3月27日付「新型コロナ、NYから医師が警告『気を抜けば東京もこうなる』」

「(今の東京は)2〜3週間前のニューヨークに似ている」

時事ドットコム　2020年4月5日付「『今の東京、2〜3週前のNY』　現地の日本人医師が警告―新型コロナ」

島田悠一（米・コロンビア大学病院循環器内科助教授）

「日本の現状は手遅れに近い。〈中略〉対策を強化しなければ、日本で数十万人の死者が出る可能性もあります」

ダイヤモンドオンライン　2020年4月9日付「『東京は手遅れに近い、検査抑制の限界を認めよ』WHO事務局長側近の医師が警鐘」

渋谷健司（英国キングス・カレッジ・ロンドン教授、WHO事務局長上級顧問）

「今のニューヨークは2週間後の東京です。地獄になります」

「羽鳥慎一モーニングショー」（テレビ朝日系）
2020年4月13日放送分

「医療現場も、あと2週間したら大混乱になる可能性もありますよ」

「羽鳥慎一モーニングショー」（テレビ朝日系）
2020年7月13日放送分

岡田晴恵（白鷗大学教授）

「対策をまったく取らなければ、国内で85万人が重症化、うち半数の約42万人が死亡する」

2020年4月15日　厚生労働省クラスター対策班会見にて

西浦博（北海道大学教授。当時）

「日本はちゃんと対策をもし何もとらなければ、今からでも10万人以上の方が亡くなる。それくらいの、このウイルスがまだその辺りにいっぱいいてるんだと」

2020年7月10日公開　日本循環器学会YouTube「本編 第84回日本循環器学会学術集会 記念対談 京大・山中伸弥氏×北大・西浦博氏」※公開は2020年10月31日まで

山中伸弥（京都大学教授、iPS細胞研究所長）

「日本の中にエピセンターが形成されている。これを国の総力をあげて止めないと、ミラノ、ニューヨークの二の舞いになる」

「来月は目を覆うようなことになります」

2020年7月16日　参議院予算委員会閉会中審査の参考人として

児玉龍彦（東京大学先端科学技術研究センター名誉教授）

図10

てたから（笑）。結局、1カ月たってもまだ「2週間後は……」という予言記事が登場してましたからね。

しかも、完全に大ハズレだったことがわかって、さすがにもう誰も言えなくなっただろうと思いきや、7月になると、また岡田晴恵が「2週間後は地獄になる」と言い出すし、児玉龍彦は国会で「ミラノ、ニューヨークの二の舞になる」「来月には目を覆うようなことになる」なんて本気で言っているから、唖然としてしまいました。

小林　「2週間予言」というのは流行語大賞をもらいたい。「2週間予言」という言葉を発明した小林よしのりと泉美木蘭の二人でもらおう（笑）。

泉美　あははは。あれはサイエンスじゃなくて、占いの世界ですよね。あと、競馬の予想屋とか。

小林　占いのほうが当たるよ。

泉美　知人のおばあさんが、霊媒師と名乗る奴に騙《だま》されたことがあるんです。「あなたはキツネに憑《つ》かれてる。このままでは不幸が襲い掛かるから、除霊したほうがいい。ただしちょっとお金がかかるけど」と脅されて、言われるままほぼ全財産を渡しちゃったんですって。しかも、「キツネは袋叩きで除霊するものだ」と言われて、そのおばあさん、麻袋に入れられて棒でバシバシ叩かれて。それでも、「これで安心して暮らせてありがたい、除霊しなかったら大変なことになっていた」と思い込まされたままだったそうです。

私、全国に向かってコロナの恐怖を予言して、国民に経済活動を止めさせて、いろんな痛手を負わせた専門家って、この霊媒師と同じに見えるんですけど。

小林　同じだよ。責任を取らなくていいなら何でも言えるからね。

泉美　感染症の分野ではない専門家からも、変なことを言い出す人が続出しましたよね。

小林　ノーベル賞学者ね。

泉美　私、**山中伸弥**《やまなかしんや》[2]教授のことは、iPS細胞で脚光を浴びていた時は「すごい人だな」と本当に思っていたんですよ。それなのに、コロナの話題に関わって「1日10～20万件のPCR検査を行って、無症状者を隔離するべきだ」なんて言い始めるから、エーッ、どうしちゃったんだろうと。

「**季節性インフルエンザになっても死ぬリスクはまず無いと思っています。でも、新型コロナだと、もしかしたら死んでしまうかもしれない**」[3]なんて言っていたのにも度肝を抜かれました。インフルエンザで死ぬリスクはないと言い切るのは、科学的思考なんかではないですよ。単に、毎年流行してるし、それで死んでいる人が大勢いるなんて気にも留めていなかった、というだけの話でしょう。挙句、7月にもなって、「日本でも10万人以上が死ぬ」なんていう予言まで言いはじめてしまって。

小林　まだそんなこと言ってるの、みたいな状態だからね。

泉美　すごい人だと思っていたのに、台無しです。そして、ある朝、新聞を開いたら、山中教授と**本庶**《ほんじょ》**佑**《たすく》[4]教授とユニクロの**柳井正**《やないただし》[5]社長が、マスクしないで笑顔で肩を組んでいる写真が目に飛び込んできたんですよ。

小林　三密じゃないか（笑）。

2　**山中伸弥**　1962年生まれ。京都大学iPS細胞研究所所長・教授。「成熟細胞が初期化され多能性をもつことの発見」により、2012年のノーベル生理学・医学賞を受賞。

3　「**季節性インフルエンザになっても…**」『文藝春秋』2020年6月号における、橋下徹との対談の中での発言。

4　**本庶佑**　1942年生まれ。京都大学名誉教授。「免疫チェックポイント阻害因子の発見とがん治療への応用」により、2018年にノーベル生理学・医学賞を受賞。

5　**柳井正**　1949年生まれ。「ユニクロ」で知られるファーストリテイリング代表取締役会長兼社長。

泉美　何かと思ったら、柳井社長が、二人にそれぞれ50億円ずつ寄付すると。

小林　うええーっ！

泉美　山中教授はそのお金を使って、iPS細胞で肺のミニ臓器を作って、コロナに感染させる実験をすると言っていました。

小林　それ自体、実現しないし、無理だね。iPS細胞で肺を作ること自体が無理だよ。もっと硬い物質的なものはできるかもしれないけど、肺のような組織は難しいと思う。iPS細胞も、網膜になるとか、役に立つ日が来るかもしれないから無駄ではないと思うけど、臓器を全部作って補完すればいいというようなものは、期待してもしょうがない。そこまでして人造人間のようになりたいのかというのもあるしね。

だから、科学と自分自身の哲学、どっちが上なのかということを考えてもいいよね。やはり専門家というのは「専門知」しかない専門バカが多い。「総合知」で判断しながら自分の専門分野について話してくれる専門家は本当に素晴らしいんだけど、いくらノーベル賞学者でも、感染症やウイルスの問題は彼らの専門分野ではないから、素人が話しているのと同じなんだよね。専門外の科学者というのは、素人と同じくらいに見ておかなければいけないのよ。彼は、余計なことをしたね。自分の株を下げてしまった。

国民生活を破壊した専門家を徹底批判せよ

泉美　恐怖のトンデモ予言で最も威力を発揮したのは、クラスター対策班の**西浦博**《にしうらひろし》[6]教授が言った「何もしなければ42万人が死ぬ」ですね。

小林　何もしなければって、適当な言葉だよね。そんなのはどうとでも言えるんだよ。「何もしなければ、みんなホームレスになります」とか。

泉美　あははは。仕事も何もしなければ、餓死してしまいます。

小林　そうだよ。何もしなければ、42万人が餓死します。うわあ、その通りだ！　という話になる（笑）。意味がわからないんだよ。そりゃ何もしなければいろいろなことが起こるよ。でも、何かするもん。

泉美　言われなくても、手を洗ったり、うがいしたりしてましたからね。しかし、あの予言は、日本社会にすさまじい萎縮効果を引き起こしたと思います。自粛だ、ソーシャルディスタンスだ、休業要請に従えという圧力をますます後押ししましたし、その結果、大勢の人が収入を失って、生活困窮融資（緊急小口資金）を申し込む人がリーマンショックの80倍以上になり、休業に追い込まれたとんかつ店のご主人は、絶望して自分の店で焼身自殺してしまいました。

コロナの恐怖を過剰に盛り上げた専門家の発言には、人の人生を破壊するような影響力があるんですよ。だけど、岡田晴恵なんかはよく、「科学者はサイエンスだけを考えていればいいんです」と言っています。

小林　それがサイエンスではないというところが、また問題よ。計算が間違っていたんだから。ところが、玉川徹なんかは、間違ったものを煽った自分の失敗を絶対に認めないんだよね。みんなが延々と自粛して、萎縮して、飲食店も潰れまくって、大企業まで傾いてという状態になっても、「我慢だ、我

6　**西浦博**　1977年生まれ。京都大学大学院医学研究科教授。厚生労働省新型コロナウイルスクラスター対策班として、感染者数、死者数の数理モデルや、「3つの密（三密）」「人との接触を8割削減」などのルールを提言し、「8割おじさん」と呼ばれた。

慢だ、動くな、動くな」「人と接触するな」と言い続ける。そして、自粛が解除されたらリバウンドが来て、「そりゃ第2波だ」と決めつけ、また「動くな」と言い出す。それが、そんなに楽しい？

泉美　全然楽しくないですよ。

小林　だいたい、**リスクマネジメント**[7]を考えた時に、「42万人が死ぬ」という西浦モデルは、**ドイツの数字**[8]をもとに計算したもので、日本に当てはまるものじゃない。つまり、西浦はグローバリズム脳なんだよ。日本人は、キスもハグもしない。清潔だし、外国人とは違う。

泉美　ところが、そこに自信が持てなくて、海外の権威にすがってしまうのが日本人ですね。多くの専門家が最初に参考にしたのは、イギリスのインペリアル・カレッジ・ロンドンの**ニール・ファーガソン**[9]教授が発表した「何もしなければイギリスで50万人、アメリカで２２０万人が死ぬ」という論文なんです。

小林　ファーガソンは、緩和政策をとろうとしていたボリス・ジョンソンに圧力をかけて、ロックダウンさせてしまったんだよな。ボリスも間抜けな男だよ。

泉美　ブラジルのボルソナーロ大統領にスポットが当たる前は、世界で唯一、先生と話が合いそうなのがボリス・ジョンソン首相でしたからね（笑）。

ファーガソン教授は、イギリスでは「ロックダウン教授」なんて呼ばれて脚光を浴びていたんですけど、実は今までも感染症が発生するたびに大袈裟な予言を出して、それが全部大外れしている人なんです。

口蹄疫の時は、莫大な数の牛を殺処分させて、畜産農家をボロボロにしたけど、結局そんなに広がるものではなかったことが後でわかっているし、ＢＳＥ（牛海綿状脳症）の時は、「5万人から15万人が死ぬ」と予言したけど、１７８人で終わり。２００５年の鳥インフルエンザの時は、「2億人が死ぬ」

とまで言ったのに、449人で終わっているんです。だけどイギリスは、またそのファーガソン教授の言い分を採用しちゃったんですよ。

小林　要するに、リスクマネジメントだといって、実態にそぐわない過大な評価をするということを何度も繰り返してきているんだね。やっぱり、最初に予測が当たらなかった時に強く糾弾しないから、同じ過ちを繰り返すことになるわけだ。どこまで正確だったかということを、その人の実力として評価するしかない。

そして、コロナにおいても、検証し直すチャンスはいくらでもあった。それをやらないのはリスクマネジメントじゃないよ。単なるオオカミ少年だもの。

泉美　ところが、「専門家は専門家としての知見を提供しているんだ。最後に決断を下すのは政治家なんだから、専門家を批判してはいけない」と言って西浦教授をかばっている専門家が何人かいました。批判してはいけないんですか？

小林　そんなバカなことはないよ。例えば、経済学者も「構造改革」と言いはじめて、弱肉強食の社会になるほうへ舵を切れとミスリードしてきたわけだよね。脳がグローバリズムになっているから、「ア

7　**リスクマネジメント**　リスクを組織的に管理し、損失などの回避または低減をはかること。新型コロナにおいては、感染源の除去、感染経路の遮断などで感染拡大を抑制し、被害を最小限にできると考えられた。

8　**ドイツの数字**　西浦の感染症数理モデルは、新型コロナウイルスの基本再生産数（まだ誰もその免疫を持っていない集団の中で、1人の感染者が次にうつす人数）を、ドイツの数値「2.5」としてシミュレーションされた。

9　**ニール・ファーガソン**　1968年生まれ。イギリスの数理生物学者、公衆衛生研究者。2020年3月から5月まで、新型コロナ対策についてイギリス政府に助言する非常時科学諮問委員を務め、ロックダウン政策の立役者となった。国民に外出禁止を訴える一方で、その最中に既婚女性を自宅に呼びつけていたことが発覚し、委員を辞任。

メリカでは弱肉強食が当たり前だ、金持ちはとことん金持ちになって、株で金融資産を貯め込んでいけばいい。そうすれば、**トリクルダウン**[10]して、上から蜜が降りてくるんだ」と言ったわけだ。それを信じた安倍晋三が、「アベノミクスで庶民もすべて潤います」と言いはじめた。

しかし、わしは、その瞬間に「これは嘘だ」と思った。だから最初からずっと批判してきたんだ。案の定、中産階級が崩壊して、膨大な貧困層が生まれてしまった。年収は３００万円、２００万円とどんどん下がっていく状態になっている。格差が開いただけで、蜜なんて降りてはこなかったんだよ。こうなったら、やっぱり経済学者の考えたことは失敗だということになる。失敗に対してはちゃんと責任を取らなければいけないよ。その経済学者は誰だ？　しっかり理解して見ておかなければ、またむちゃくちゃになるじゃないか。

それなのに、失敗を批判してはいけませんなんて、そんなバカなことはない。間違ったことを言ったら、批判しなければいけません。自分勝手に社会構築をしたい奴らが「それは、その時に言っただけの話で」なんて言い逃れてしまったら、何の反省も生まれない。ひとつのことから学習して、「次はこういうふうにやろう」と言えるようになって、学んで、蓄積していくものなんだ。それがなければ、国家ビジョンの立て方もすべておかしくなってしまう。批判というものは、絶対にやらなければいけないことでしょう。

畜群でいいのか？　自虐思考の日本人

泉美　保守を自認していた知識人にも、西浦教授の予言を大評価している人たちがいて、「リスクマネジメントとしては、オーバーに言ったほうが正しい」と言っていたりします。おかしな話だと思います。

10　**トリクルダウン**　「富裕者がさらに富裕になると、経済活動が活発化することで低所得の貧困者にも富が浸透し、利益が再分配される」と主張する経済理論。

コラム11　新型コロナによる、日本経済の打撃

内閣府によると、2020年4~6月期の国内総生産（GDP）は、前年同期対比で年率28．1％減少を記録し、戦後最大の落ち込みとなった。

解雇や雇い止めも急増。総務省によると、完全失業者数は2020年2月以降連続で増加し（2020年10月現在）、8月には前年同月比49万人増の206万人となった。特に影響を受けているのはパートやアルバイト、派遣社員などの非正規労働者で、7月には前年同月から131万人減少。比較可能な2014年1月以降で最大の減少幅となる。なかでも非正規が多い女性への影響は大きい。

政府は、企業に対して雇用維持を

実質GDP成長率の推移

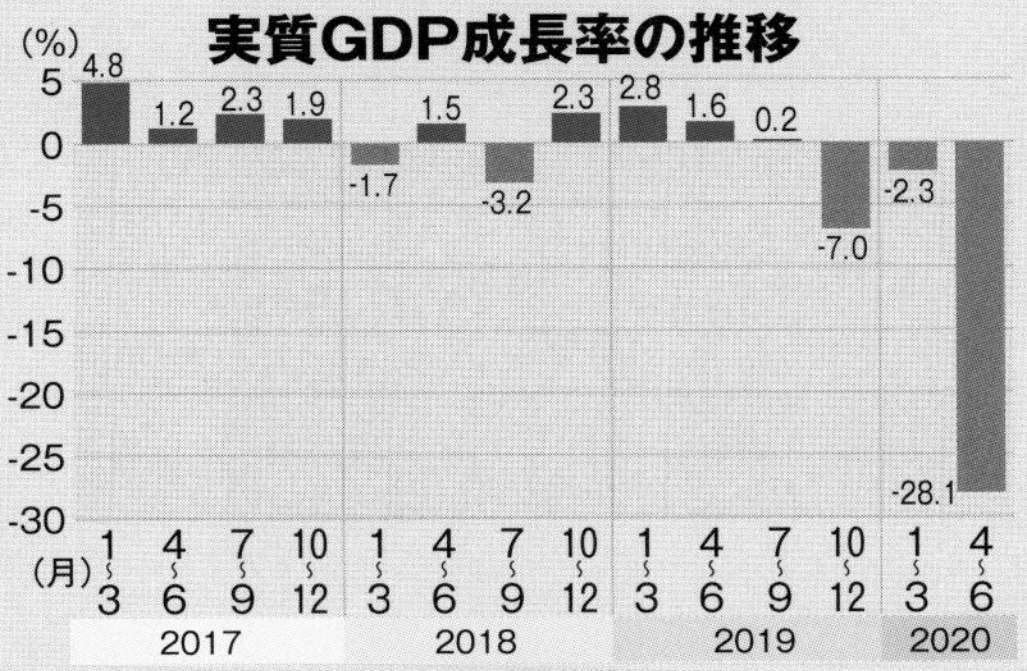

データ参照元／内閣府　※実質季節調整系列（年率）

従業員数の対前年同月比増減

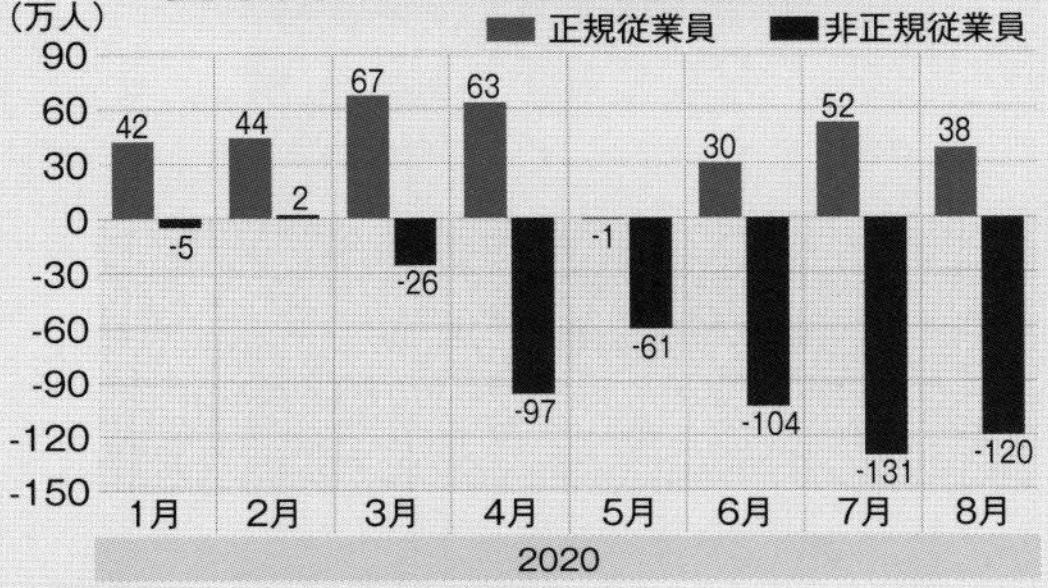

データ参照元／総務省統計局「労働力調査」

要請したが、正規雇用が維持される一方で「派遣切り」を止めることはできず、非正規雇用がしわ寄せを受ける傾向が鮮明となっている。

GDP減少の最大の要因は、個人消費の落ち込みだ。遊園地、ボウリング場などのレジャー、百貨店などサービス産業全般が大打撃を受けた。特に観光業界は、海外・外国人旅行の取扱が消失し、国内旅行も5月には前年比3.4％にまで激減（下グラフ）。日本旅行業協会によれば、4〜8月で、国内主要旅行業者において約2兆円超の売上げが失われたという。

感染場所として名指しされたフィットネスジム、「夜の街関連」の居酒屋も、4、5月には前年比マイナス90％以上の深刻な打撃（78ページ）。結婚式場業も壊滅状態で、日本ブライダル文化振興協会によれば、2020年3〜9月に結婚式の中止や延期を決めたカップルは17万組にのぼるという。

主要旅行業者の旅行取扱状況の前年比（2020年）

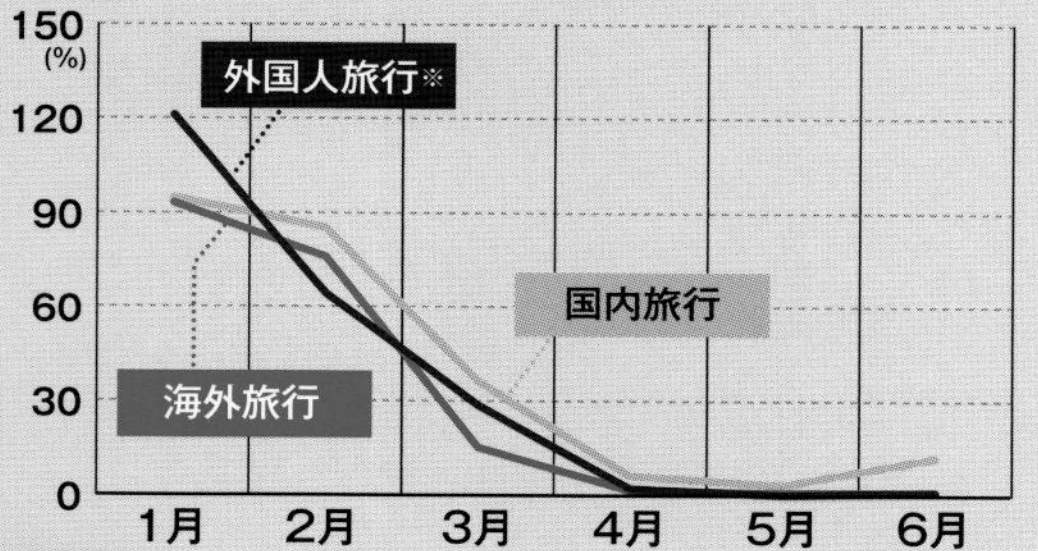

	1月	2月	3月	4月	5月	6月
海外旅行	93.2	76.1	15.3	1.7	1.0	1.2
外国人旅行※	121.0	64.3	28.6	2.2	0.2	1.0
国内旅行	94.9	85.4	36.3	6.4	3.4	12.1

データ参照元／国土交通省観光庁「主要旅行業者の旅行取扱状況速報 」
※日本の旅行会社によるインバウンド向けの旅行取扱い

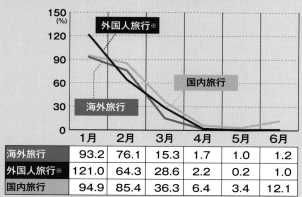

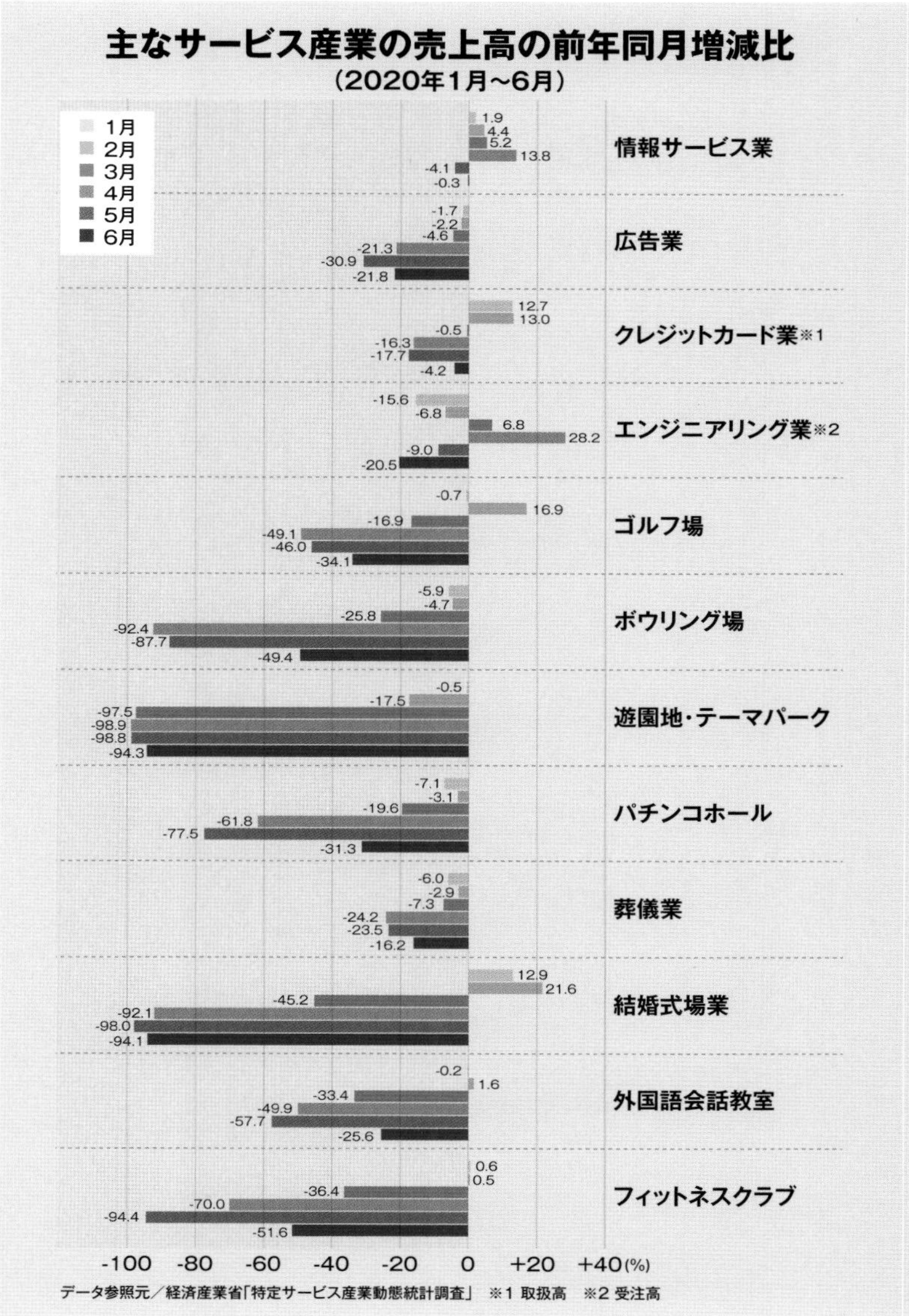
主なサービス産業の売上高の前年同月増減比
(2020年1月〜6月)
1月
2月
3月
4月
5月
6月
情報サービス業
1.9
4.4
5.2
13.8
-4.1
-0.3
広告業
-1.7
-2.2
-4.6
-21.3
-30.9
-21.8
クレジットカード業※1
12.7
13.0
-0.5
-16.3
-17.7
-4.2
エンジニアリング業※2
-15.6
-6.8
6.8
28.2
-9.0
-20.5
ゴルフ場
-0.7
16.9
-16.9
-49.1
-46.0
-34.1
ボウリング場
-5.9
-4.7
-25.8
-92.4
-87.7
-49.4
遊園地・テーマパーク
-0.5
-17.5
-97.5
-98.9
-98.8
-94.3
パチンコホール
-7.1
-3.1
-19.6
-61.8
-77.5
-31.3
葬儀業
-6.0
-2.9
-7.3
-24.2
-23.5
-16.2
結婚式場業
12.9
21.6
-45.2
-92.1
-98.0
-94.1
外国語会話教室
-0.2
1.6
-33.4
-49.9
-57.7
-25.6
フィットネスクラブ
0.6
0.5
-36.4
-70.0
-94.4
-51.6
-100
-80
-60
-40
-20
0
+20
+40(%)
データ参照元/経済産業省「特定サービス産業動態統計調査」　※1 取扱高　※2 受注高

主な販売店業界の売上高の前年同月増減比
（2020年1～7月）

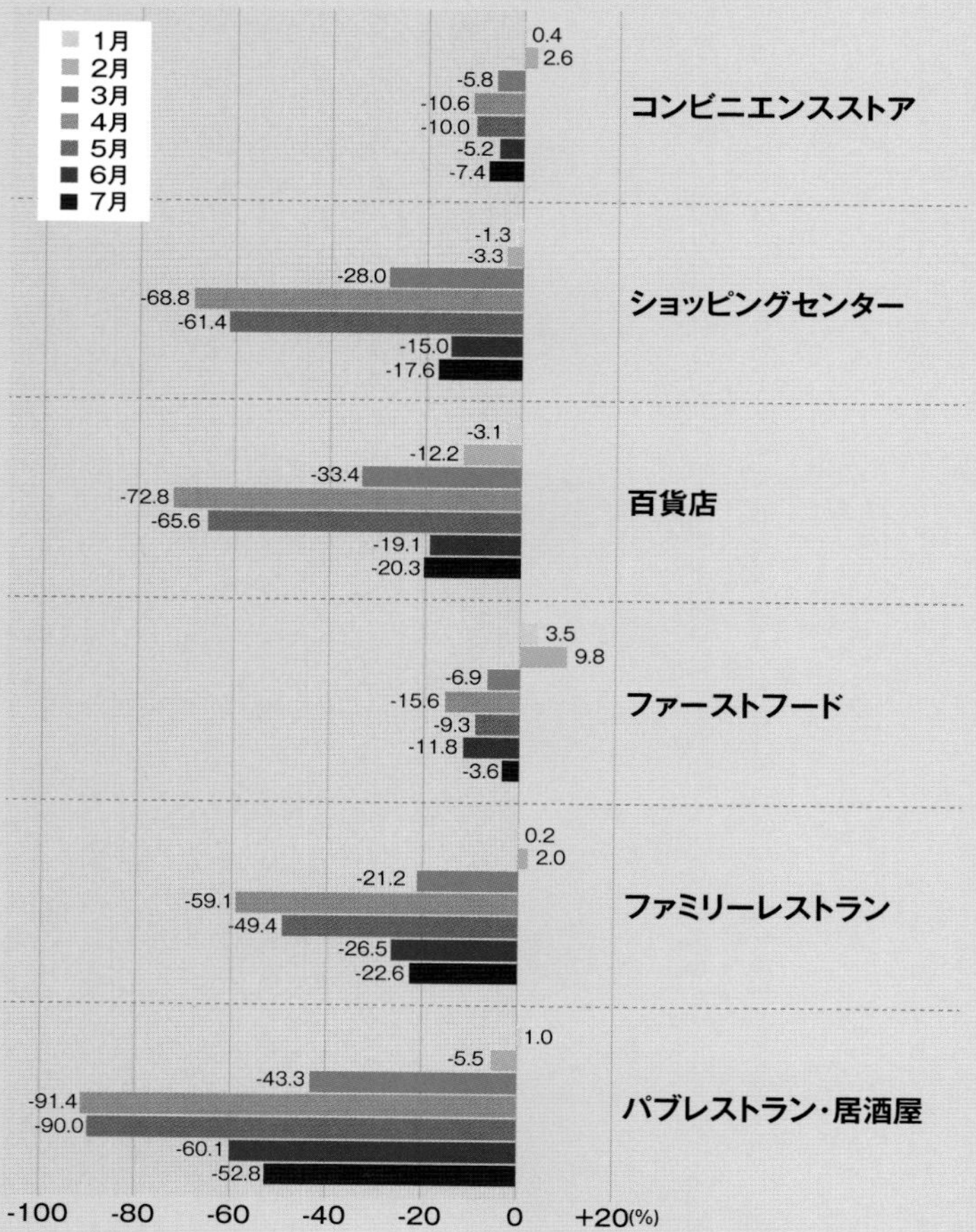

データ参照元／
日本フランチャイズチェーン協会「JFAコンビニエンスストア統計調査月報（既存店ベース）」
日本ショッピングセンター協会「SC販売統計調査報告」
日本百貨店協会「全国百貨店売上高概況」
日本フードサービス協会「外食産業市場動向調査」

コラム12「アベノミクス」は失敗に終わった

安倍政権の最重要政策として位置づけられていた「アベノミクス」は、「大胆な金融政策」「機動的な財政政策」「民間投資を喚起する成長戦略」という「3本の矢」によって企業収益を向上させれば、一般市民の所得向上にもつながるという「トリクルダウン効果」を根拠とした経済政策だった。

特に、日銀による異次元の金融緩和で「脱デフレ」を目指した。金融緩和で円安株高に誘導すれば、輸出が増えて、その収益で賃金が上がるという循環が想定されていたのだ。だが、輸出向け企業の多くは、すでに国外に生産拠点を移し、国外の労働者を雇って、国外市場で販売しており、需要の見込めない日本国内には設備投資するはずもない。グローバリズムに突き進む中で、「日本国内からの輸出が増えるはずだ」という前提そのものが崩壊していたのだ。

さらに、資産を持つ者も将来不安に晒されており、消費することなく貯蓄に回してしまう。銀行にはカネが滞留するばかりだった。

唯一、「アベノミクス」で得をしたのは、株で利益を得た富裕層だ。だが、その富が庶民に還元されることはなく、富める者とそうでない者の格差がますます広がるという結果にしかならなかった。「トリクルダウン効果」は、高度経済成長の時代の神話にすぎない。少子高齢化の一途を辿りつつ、グローバリズムへと向かう日本ではありえない話なのだ。

「アベノミクスによって企業収益が増えた」といわれるが、円安によって企業収益が拡大したとはいえ、それと引き換えに、輸入インフレによって実質賃金は下がってしまう。現にGDPの大半を占める個人消費は落ち込んだままで、生活実感も苦しくなるばかりだ。

「アベノミクスによって求人倍率が改善した」ともいわれるが、団塊世代の大量退職によって生産人口が減ったこと、低賃金の非正規雇用に従事する若者が増えたことが主な理由で、「アベノミクスの効果」ではない。

正社員は減り、雇用の流動化が進み、このままでは今後さらに貧困層が拡大するだろう。富裕層のための経済、弱肉強食の搾取経済。それがアベノミクスであった。

○8○

だって、西浦教授は「コロナに感染するリスク」しか考えていませんよね。だけど、実際の生活には、経済的なリスクも、子どもを学校に行かせないことで将来にわたって影響を及ぼすリスクも、精神衛生上のリスクも、家庭内での虐待や暴力のリスクも、他にもいろんなものに広く及ぶリスクがあるじゃないですか。

小林 まったくその通りだ。西浦を肯定する奴らは、本音を言えば、自分が怖いだけなんだよね。それがすべての動機、出発点。経済的リスクマネジメントは誰がとるのか、文化的にはどうか、そういうことも考えなきゃならないはずだ。

泉美 そうですね。特に文化的なリスクは甚大だと思います。**オーケストラが消滅してしまったり**[11]、歌も歌えない、歌舞伎もできない。それなのに、「文化なんか後回しだ。命のほうが大事なんだから、そんなものはネットでやればいい」なんて平気で言う人が結構います。でも文化は、私たちが人間としての生活を送ったり、生きていく上での感性そのもののはずですよ。それを簡単に切り捨ててしまう感覚こそが、人間にとってリスクだと思うんです。

小林 その通りだよ。**ニーチェ**[12]流に言えば「畜群根性」に落ちた群衆だな。臆病な家畜だ。「彼らはオオカミを犬にした。人間自身を、人間の最良の家畜にした」とニーチェは言っている。人間として生きたいのか、畜群として生きたいのか、はっきり言ってみろ!

しかし、コロナでいろんな人の化けの皮がはがれてしまったね。人間は不思議なものでね、いくら頭の中に知識を仕入れても、いざ極限状況になれば、それがすべてぶっ飛んで、意味がなくなってしまうんだよ。極限状況で畜群に堕《だ》すか、超人を目指すかで、知識人の正体がわかるね。しかし、医者たちもニューヨークに暮らしているというだけで、恐怖に晒《さら》されて、ウイルスの本質がわからなくなって、コロナ脳になってしまった。

泉美　ニューヨークにいれば、報道される死者の桁数が日本とはまったく違うでしょうし、怖かったんでしょうね。

小林　そうだね。ニューヨークにいる日本人、イタリアにいる日本人、それぞれの国の中の恐怖に入り込んでしまうんだよ。そして奇妙なことに、スウェーデンに住んでいる日本人はまた違う。スウェーデンのパブリックマインドの中にいるから、「こちらではもう死者数も増えないし、コロナは終わったものとなっていて、みんなすっかり忘れてしまっていますよ」と言う。

泉美　「東京も2週間後にニューヨークになる」ということを、3月末にテレビのインタビューで発言して、「2週間予言ブーム」の火付け役になったのは、ニューヨークでコロナ患者の治療に当たった日本人医師でした。イギリスの日本人教授も「日本は手遅れだ、数十万人の死者が出る」と。

小林　外国に住んでいる人間は、その外国で自分が働いているということ自体に誇りを持っているから、今、居住している国は素晴らしい、それに比べて日本はダメだと軽蔑しはじめるんだ。

ところが、日本に住んでいる日本人は真逆なんだよ。本来、もっと日本のことに誇りを持っていたっていいはずなのに、日本は間違っているはずだと思い込む。ニューヨークが死者数の増加の先輩ならば、我々後輩は、先輩に見習ってあのぐらいの死者数が出るはずだと思ってしまうんだな（笑）。本当

11　**オーケストラが消滅してしまったり**　「三密回避」「人との接触8割削減」などの社会的ルールが広がり、オーケストラの文化は「不要不急」とみなされ、集結そのものが不可能となった。自宅での練習には限りがあり、転職を余儀なくされた楽団員も現れている。

12　**ニーチェ**　フリードリヒ・ヴィルヘルム・ニーチェ。1844年～1900年。ドイツの哲学者、古典文献学者。『ツァラトゥストラ』『善悪の彼岸』などで「畜群」について述べた。

に変な心理だよ。

泉美　一般にもそういう人は多いです。特に「ちゃんとロックダウンしているヨーロッパの国々は素晴らしい」ということをブログやSNSなんかに書いている人はものすごく大勢いました。ヨーロッパって、ロックダウンしても大勢死んでいる国ばかりなのに、そんなに素晴らしいかなあと思いますけどね。でも、やっぱり、ヨーロッパに対するなにか美しい憧れを抱いていて、それに引き換え日本はダメな国だという心理があるんでしょうね。

小林　日本人全般の自虐思考だよね。困ったものだ。

数理計算オタクと庶民の常識

泉美　私、西浦教授が「42万人」の数理計算について解説しているネット番組を見たんです。ものすごく複雑な数式を並べて、いきいきしていて、その姿だけを見ていると、ああ、本当に数学を愛するオタクの人なんだなあというふうに思えて、ちょっと微笑ましいんです。

だけど、例外的な計算も、苦労して数式を導き出したんだという話を聞いていると、こちらは素人だけど、そんなになんでもかんでも数式に当てはめてどうするの、と思えてきて。そこが暴走すると、現実離れした計算を堂々と発表しちゃうという事態になるんじゃないんでしょうか。

小林　すべてを数式の中に落とし込みたいというところに問題があるんだよね。人間はそれぞれ違う考え方を持っていて、違う行動をしているのに、それをすべて数式で表せると思い込んでいるわけだ。

コロナの感染者数推移グラフは、最初の2週間で指数関数的に伸びるけど、そこでピークになって緩やかに低下していく。わしは、これは「コロナの運命曲線」だと思ったんだ。そして、国ごとに伸びる頂点に差はあるが、なぜコロナは2週間でピークを迎えてしまう運命なのかということは、数式では表せないはずだろう、と。だって、地球上のすべてのウイルスが、必ず2週間でピークを迎えるという規則なんかどこにもないんだから。もっと早く鎮まるウイルスもあれば、1カ月、2カ月たっても増殖し続けるウイルスもあるかもしれない。ところが、それでも、「いや、表せます」と言って、必死で数式を書いている人がいた（笑）。

泉美　「コロナウイルスが2週間でピークを迎える理由」は、そのウイルスの性質と、人間や社会の特徴が絡んでいる話だから、数学で解けるものではないですよね。

小林　そうそう。それを数学で解くなら、その国ごとの人間の免疫がどのぐらいの強度なのか、自然免疫が何%ぐらい発揮されるのか、獲得免疫が何%ぐらい対抗するのかということをすべて数式で表さなければならない。国ごとの免疫の強度なんか、数学では無理だよ。

泉美　国によって行動様式も違うし、おじいちゃんおばあちゃんと一緒に住んでいる人の割合、核家族の割合も地域によって違います。貧困層と富裕層の割合、職業も関係するし、地域によって人体の構造も、普段の食生活も違います。日本は、ブラジルみたいに塩気の多い肉料理なんかはあまり食べないから、体質も違うだろうし。

小林　そうそう。ハワイに行くと、尋常でない**肥満体**[13]の人がいっぱいいるんだよ。そういうのも、何人の肥満体の人がいるか、何人の糖尿病の人がいるか、これもまた数式で出さなければいけないよ。

13 **肥満体**　WHOの2016年統計によれば、アメリカの成人人口のうち、BMI指数30を超える肥満体の割合は37.3%。ハワイ州も20%超で、アメリカは世界191カ国中11位の肥満率の高さだった。イギリス29.5%、イタリア22.9%、ブラジル22.3%、スウェーデン22.1%と、欧州や中南米諸国も肥満率が高い。日本は4.4%、182位とかなり細身。

泉美　無理すぎる（笑）。数学ですべて解決できるという思い込みは、危険ですね。

小林　しかもウイルスに**曝露**《ばくろ》[14]した人間がすべて感染するかどうかは別なわけだ。

泉美　ウイルスがやってきて、粘膜にくっついて、細胞の中に入り込んで、増殖しはじめたら「感染」ですからね。そうならない場合もあるわけです。

私、西浦教授が「42万人が死ぬ」と言っているのを見て、正直「はあ？　何言ってるんだろう」としか思えなかったんです。そんなバカなことがあるわけないでしょ、それなら私の周りで友人や知人がバタバタ倒れていないとおかしいじゃんって。これって、のん気なだけですかね。でもやっぱり、肌感覚として信じられなかったんですよ。

小林　それが庶民感覚、常識感覚だよ。スペイン風邪の時は、日本では45万人が死んでいるんだけど、当時のことを**与謝野晶子**《よさのあきこ》[15]が書いているんだ。「米騒動の時はおもだった都市で五人以上集まって歩くことを禁じました」「政府はなぜ多くの人間の密集する場所の一時的休業を命じなかったのでしょうか」とね。だがこれは、彼女自身が自分の肌で実感したからなんだよ。庶民感覚で書いたものなんだ。

わしの身の周りでは、インフルエンザの時はどんどん感染者が出て、仕事を休んだりしている。でも、コロナにかかって寝込んだ奴はいまだにいない。だからあんな予言は信用できない。常識の感覚で思い出してみてほしいよ。インフルエンザで学級閉鎖になる時は、クラスに4、5人ぐらい、はっきりした発熱症状の出た子がいたわけだね。だから、学級閉鎖しましょうという判断になっていた。ところが、コロナはそうではない。検査をしたら、無症状だけど感染していると言って騒ぐ。これは、常識からずれている。

これを正すのは、基本的には保守思想の持ち主なんだ。それはつまり、庶民の感覚ということなんだよね。わし、『**男はつらいよ**』[16]が大好きで全作品を見ているけど、フーテンの寅さんだったら、庶民で保守思想の持ち主だから、「ばかやろう、そんなもの風邪だろう！」で終わるはずだよ。露店を閉鎖しろなんてことは絶対に言わない。「自粛だ、隔離だ」とは言わないのが寅さんだ。

泉美　そして、普通に旅に出ちゃいますよね。

小林　うん。出るね。そして、自分が感染して全国にどんどん広げちゃうよ（笑）。それが、寅さん。移動の自由を奪われたら、寅さんは成立しない。店を閉めろと言われる世界じゃ、フーテンの寅さんは生きていけないよ。専門家の予測より、庶民の常識感覚が正しいということがあるんだ。

この庶民の常識感覚は、テレビを見るから崩れるわけ。すっかり洗脳されて、「庶民」でなく「大衆」になってしまって、「コロナにかかったらいかん！」と言いはじめる。わしは、基本的な保守の常識で物を見ることを忘れてしまったら、もう終わりだと思っている。何しろ、わし自身が寅さんであって、なおかつタコ社長、つまり中小零細企業の社長だから。休業させられた飲食店のおじさんたちの気持ちがわかるし、かわいそうだと思うから言っているんだ。すべて、寅さんの世界で言っているだけだよ。

泉美　寅さんマインド！　なるほど、そうだったんですね。

14　**曝露**　ウイルスに晒されること。曝露したウイルスが、細胞内に侵入して自身の遺伝子を複製しはじめた時点で「感染」となる。

15　**与謝野晶子**　１８７８年～１９４２年。歌人、作家。『みだれ髪』や初の現代語訳『源氏物語』など。

16　**『男はつらいよ』**　渥美清主演、山田洋次原作・監督のテレビドラマおよび映画シリーズ。テキ屋稼業を生業とする「フーテンの寅」こと車寅次郎をめぐる人情喜劇。

水際対策に出遅れたら集団免疫策しか残らない

小林　わしは、緊急事態宣言を出すと聞いた時、「そりゃあ、ない！」とすぐに思ったよ。だからブログにも、「そこまでする必要はない、早すぎる」と書いた。でも、誰もが「遅すぎる！」と言ったんだ。さかさまなんだよ、日本人は。そりゃ、水際対策をして完全封鎖するならば遅すぎるよ、たしかに。

泉美　水際対策というのは、最初のウイルスが上陸する前にやらないと意味はないですよ。

小林　そうだよね。武漢で新型のウイルスが流行っているようだとわかった時点で、厚労官僚を現地に派遣して、どの程度のものなのかということをきっちり見定めた上で、日本に向かって「封鎖してください、中国人観光客を入国させてはいけません」と言わなければいけないよ。それなのに、尋常でない人数の中国人観光客を入国させ続けていたでしょ。

泉美　あれは、**習近平《しゅうきんぺい》が来日**[17]することになっていたし、遠慮して、「入国禁止なんて強硬なことはできないよ〜」とまごまごしてしまったんじゃないですか？

小林　そうなんだよ。1月に大阪へ行った時、宿泊先のホテルにはマスクをした大勢の中国人観光客がいたからね。その時点で、すでにウイルスは入ってきていたんだから、もう完全封鎖なんて遅いということだよ。

泉美　観光地はインバウンド消費で盛り上がっていましたからね（**図11**）。中国との直行便は成田空港だけではないし、全国の観光地に中国人観光客が散らばっていたと思いますよ。

小林　そうだよ。中国人観光客たちは、わしが知らん日本の観光地にもガンガン足を運んでいたからね。だから、いろいろなところにコロナをばら撒いていたはずだし、もう遅い。

だがそれは、必ずしも日本政府を非難すべきものでもない。スウェーデンのように最初から覚悟して集団免疫作戦をとったならすごいけど、日本の場合は、安倍がボケッとしていたから、もうトコトンいかないと鎮まらないという集団免疫作戦を無意識にとってしまったということなんだ。

泉美　なるほど。それに、ウイルスの完全封鎖は本当に難しいことだと思います。例えば、ニュージーランドは、3月に非常事態宣言を出してロックダウンして、罰金付きのかなり厳しい移動制限や休業命令を出しました。それで、5月末には感染者がいなくなって、スタジアムに満員の観客を入れてラグビーの試合をしたんですね。ところが、8月になってまた感染者が見つかったんです。

小林　ニュージーランドは女性の**アーダーン首相**[18]でしょ？　あの人はコロナを封じ込めたということで、一時期は英雄扱いだったよね。

泉美　8月に感染者が発見されて、すぐにその都市が再ロックダウンされたんですが、その後、WHOのコロナ対策特使がニュージーランドのラジオ番組に出演して、当初想定していたほどの被害が出るものではないから、今後はウイルスと共存することを考えて、集団免疫策をとったスウェーデンを目標とするのが正しいと発言しているんですよ。それで政府内でも議論はあったようですが、ひとまず感染拡大は収まったので再ロックダウンは解除したものの、8月末にはマスクの着用が義務化された

17　**習近平が来日**　2020年4月に中国の習近平国家主席を国賓として招くことが決まっていたが、延期。その後、中国による香港統制を強める「国家安全維持法」の施行を受け、自民党は政調審議会で国賓来日については「中止を要請せざるを得ない」と明記した決議を了承した。

18　**アーダーン首相**　ジャシンダ・アーダーン。1980年生まれ。ニュージーランドの政治家。第40代ニュージーランド首相。

訪日中国人観光客数

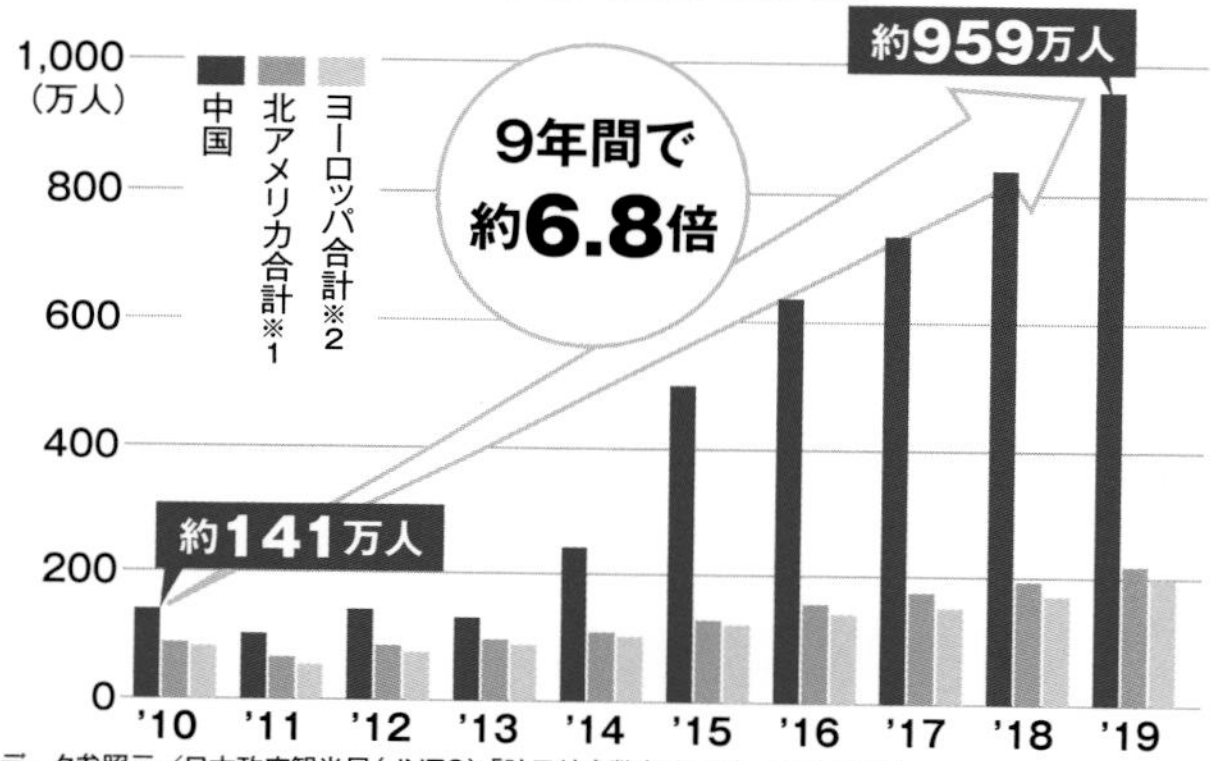

データ参照元／日本政府観光局（JNTO）「訪日外客数（2010年～2019年）」
※1 アメリカ、カナダ、メキシコ、その他北アメリカ　※2 イギリス、フランス、ドイツ、イタリア、ロシア、スペイン、スウェーデン、オランダ、スイス、ベルギー、フィンランド、ポーランド、デンマーク、ノルウェー、オーストリア、ポルトガル、アイルランド、その他ヨーロッパ

訪日中国人の総消費額

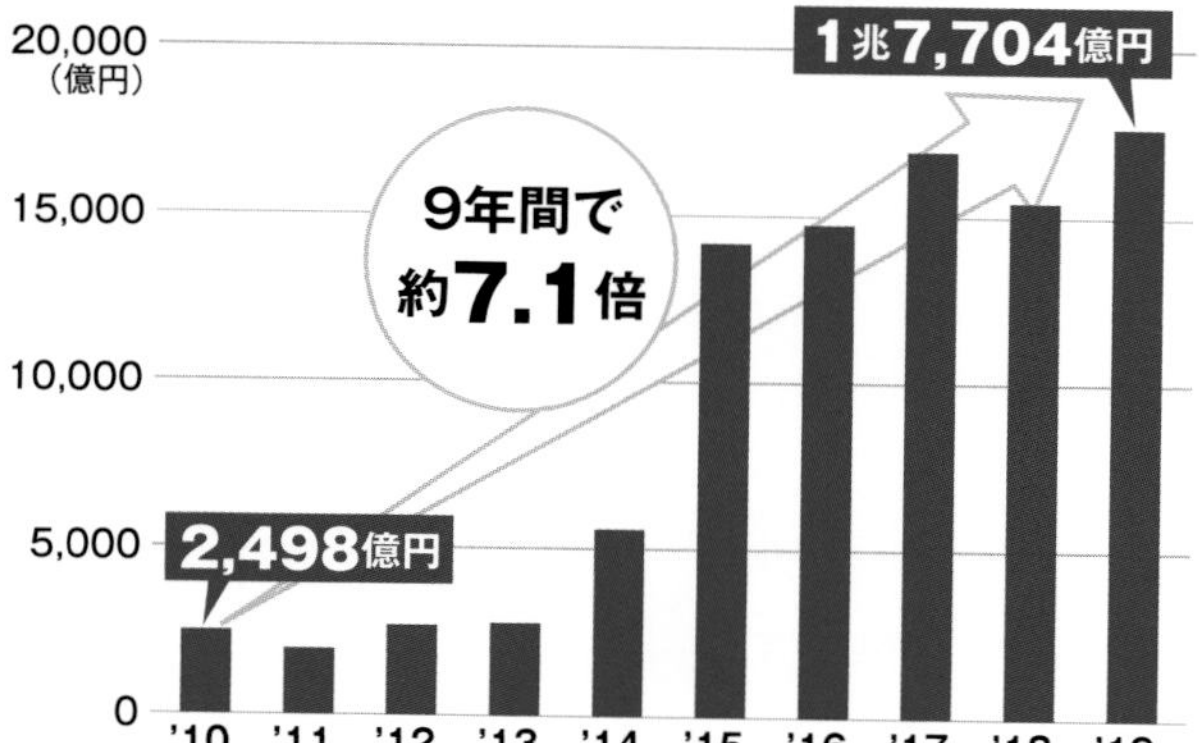

データ参照元／国土交通省観光庁「訪日外国人の消費動向（2010年～2019年）

図11

んです。9月末に義務化は一部解除されましたが、つまり、今後また感染拡大の可能性があるという前提に立っているんですよね。

小林　そうか。アーダーン首相は物腰がやわらかくて、説明がうまくて、国民に対してものすごく優しい言葉で話すんだよ。だから、まあ言うこと聞いてもいいかなと思わせる素質があるんだ。それでみんな我慢した。でもやっぱり封じ込めることはできなかったという結果になるかもしれないね。

泉美　ハワイも同じようなことが起きていますね。一時期は封じ込めたと思われていたけど、夏になってから大変なことになって（図12）。

小林　ハワイは、もうむちゃくちゃだな。無理に封じ込めようとしたってダメなんだね。水際対策で完全封鎖をしたとしても、いつ国を開くんだという問題も出てくるだろう。何しろ、その国は誰も免疫を持っていない。そしたら、完璧なワクチンができるまで鎖国を続けるしかないということになってしまう。

泉美　そうですね。フロリダ（図13）の州知事が8月31日の記者会見で、ロックダウンは、感染するまでの時間を遅らせるだけのもので、感染者や死者を減らすことはできないと。それよりも経済面でのダメージが大きすぎるから、もう二度とロックダウンはやらないと宣言していましたよ。

小林　感染者数も死者数も、最終的な数値は変わらないということだな。いや、もしかしたら放ったらかしにしておいたほうが、感染者数が少なくなるかもしれない。人の動きを止めたり、動かしたりということをダラダラ繰り返していると、最初に感染した人の抗体が消えていってしまう。そうすると余計に長引く。

実は一気に感染してしまったほうが、あっという間に免疫の壁ができあがって、感染が止まるかもしれないよ。だが、どちらにせよ、最終的な死者数は変わらないと思うよ。

アメリカ・ハワイ州での感染者数の推移

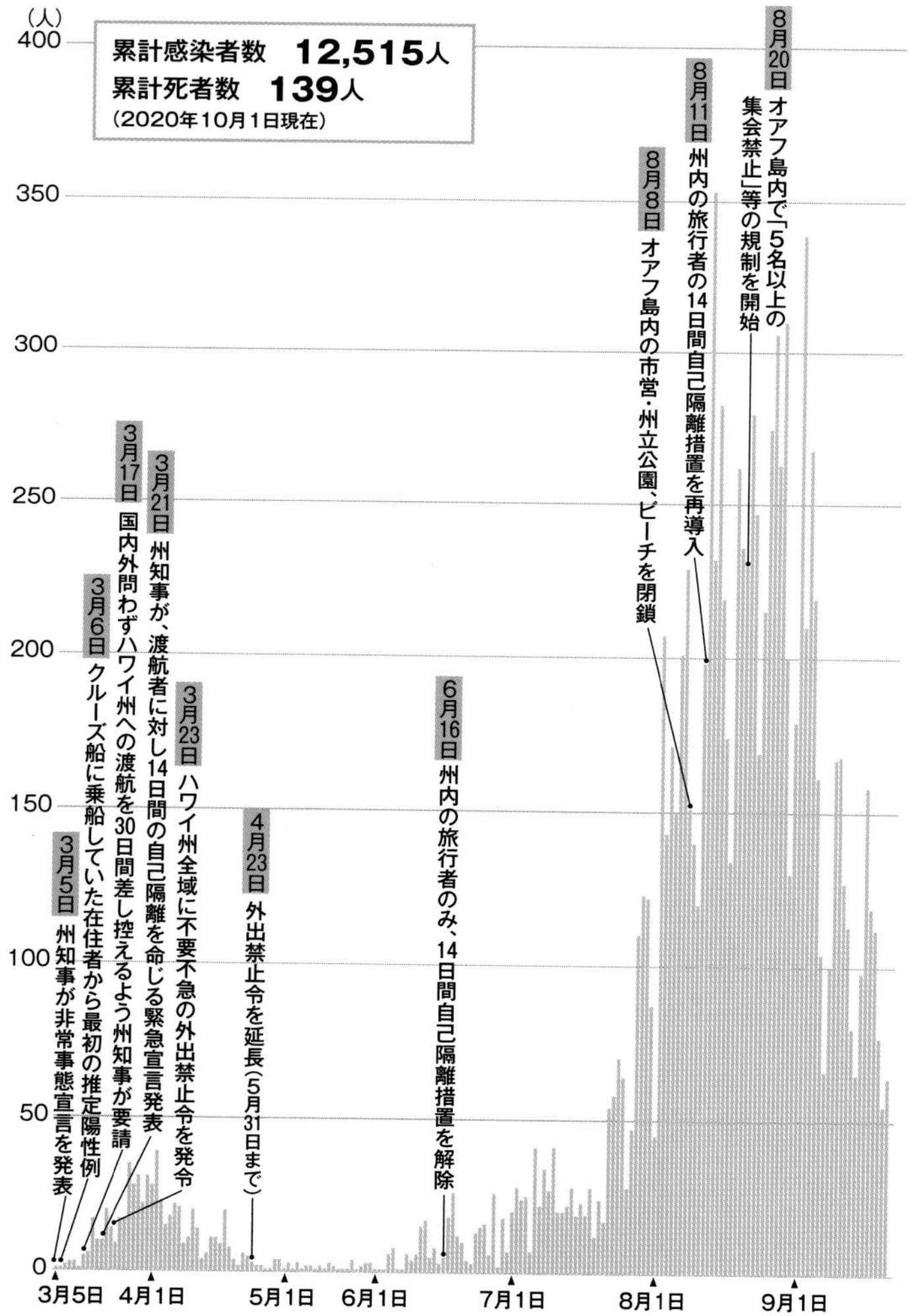
累計感染者数 12,515人
累計死者数 139人
（2020年10月1日現在）
（人）
400
350
300
250
200
150
100
50
0
3月5日
4月1日
5月1日
6月1日
7月1日
8月1日
9月1日
3月5日 州知事が非常事態宣言を発表
3月6日 クルーズ船に乗船していた在住者から最初の推定陽性例
3月17日 国内外問わずハワイ州への渡航を30日間差し控えるよう州知事が要請
3月21日 州知事が、渡航者に対し14日間の自己隔離を命じる緊急宣言発表
3月23日 ハワイ州全域に不要不急の外出禁止令を発令
4月23日 外出禁止令を延長（5月31日まで）
6月16日 州内の旅行者のみ、14日間自己隔離措置を解除
8月8日 オアフ島内の市営・州立公園、ビーチを閉鎖
8月11日 州内の旅行者の14日間自己隔離措置を再導入
8月20日 オアフ島内で「5名以上の集会禁止」等の規制を開始

データ参照元／ハワイ州保健局（期間／2020年3月5日〜9月21日）

図12

アメリカ・フロリダ州での感染者数の推移

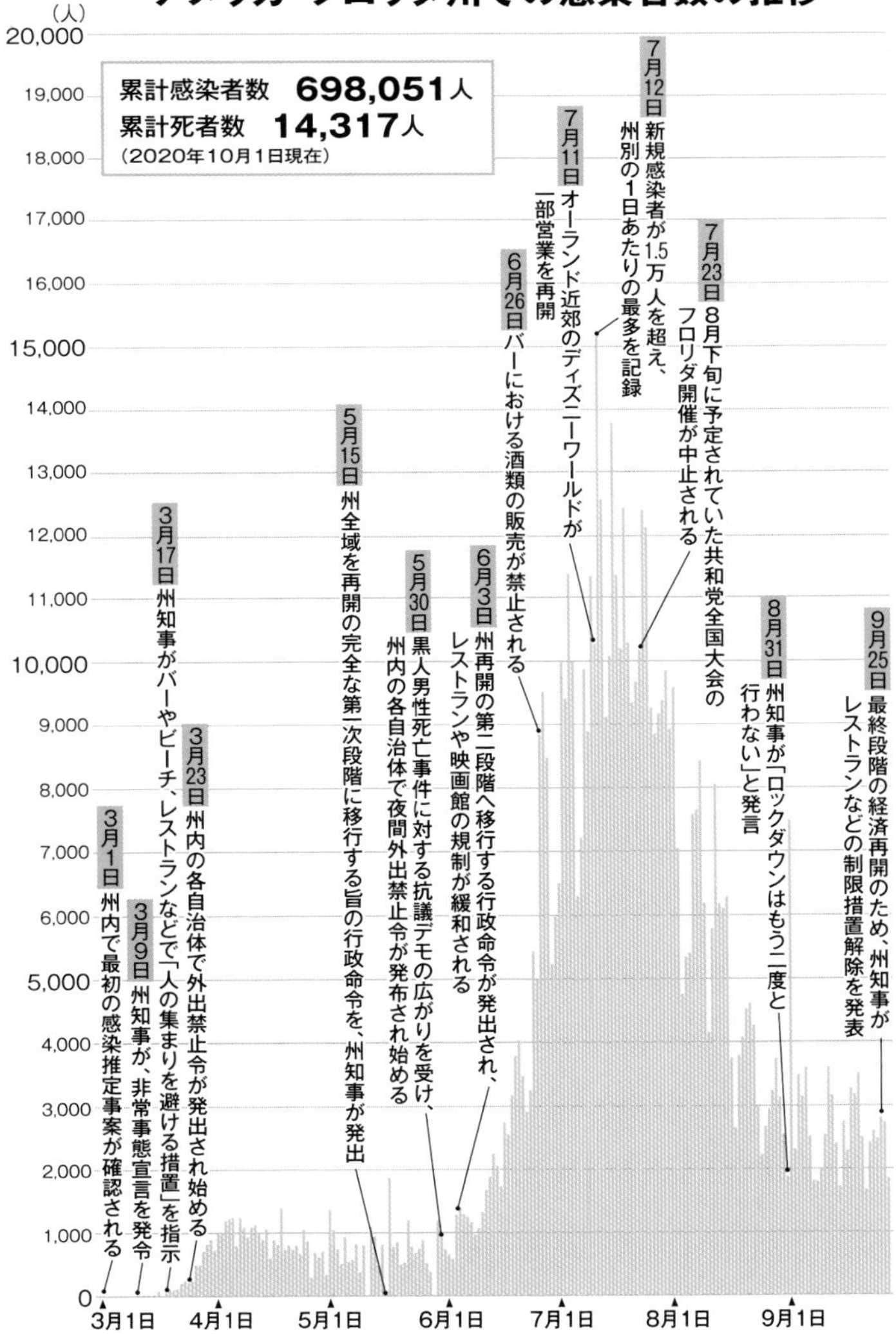
(人)
20,000
19,000
18,000
17,000
16,000
15,000
14,000
13,000
12,000
11,000
10,000
9,000
8,000
7,000
6,000
5,000
4,000
3,000
2,000
1,000
0
累計感染者数 698,051人
累計死者数 14,317人
(2020年10月1日現在)
3月1日 州内で最初の感染推定事案が確認される
3月9日 州知事が、非常事態宣言を発令
3月17日 州知事がバーやビーチ、レストランなどで「人の集まりを避ける措置」を指示
3月23日 州内の各自治体で外出禁止令が発出され始める
5月15日 州全域を再開の完全な第一次段階に移行する旨の行政命令を、州知事が発出
5月30日 黒人男性死亡事件に対する抗議デモの広がりを受け、州内の各自治体で夜間外出禁止令が発布され始める
6月3日 州再開の第二段階へ移行する行政命令が発出され、レストランや映画館の規制が緩和される
6月26日 バーにおける酒類の販売が禁止される
7月11日 オーランド近郊のディズニーワールドが一部営業を再開
7月12日 新規感染者が1.5万人を超え、州別の1日あたりの最多を記録
7月23日 8月下旬に予定されていた共和党全国大会のフロリダ開催が中止される
8月31日 州知事が「ロックダウンはもう二度と行わない」と発言
9月25日 最終段階の経済再開のため、州知事がレストランなどの制限措置解除を発表
3月1日
4月1日
5月1日
6月1日
7月1日
8月1日
9月1日

データ参照元／米・CDC「CDC COVID Data Tracker」(期間／2020年3月1日〜9月27日)

図13

泉美　政策がどうであれ、病原体への抵抗力がなくなっていて、どうしても重症化して死んでしまう個体の数は、変わらないわけですからね。それに、ロックダウンや自粛をしてしまうと、経済的なダメージもどんどん積み重なっていきます。

小林　経済を止めて、ストレスをためて、免疫力を落としているということかもしれないよ。そうなると、最終的には、ロックダウンのほうが死者が多くなるという可能性もあるよね。

だから、わしは、夏の間に集団免疫を作っておいたほうがいいから、**GoToキャンペーン**[19]をガンガンやれと言ったんだ。ところが、「なんという暴言だ。どんどん感染者数を増やせとは何事だ！」と激怒した奴が、わしの個人サイトにメールを送ってきたりする。困ったもんだね。ここがわかる人と、わからない人の差が激しすぎるんだよ。

泉美　わかります。経済の心配をするような発言をすると、脊髄反射でいきり立って怒りをぶつけてくる人はたくさんいますね。私のところにも、「それで大勢が死んだら、お前の責任だ！」というようなメールが何通か届きました。

小林　東京都医師会の尾崎治夫《おざきはるお》もそんな感じだったよね。「コロナが風邪だという奴は、許せない！」みたいなことを、ぶん殴りかかりかねない感じで言ってたよ。

泉美　**「このままでは日本は感染の火だるまだ！」**[20]とも言っていましたね。

小林　どこが火だるまなんだ。あの尾崎も専門家だというのなら、専門家ってその程度だということになるのよ。

テレビ局におもねり、差別を扇動する専門家

小林　尾崎もそうだけど、医療崩壊が起こるということを錦《にしき》の御旗《みはた》にして、「自粛するべきだ」と言うんだよな。それはおかしい。まず、指定感染症の二類相当以上の扱いにしたことを問題にしなければならないよ。だって、無症状の人が病院のベッドを占拠するなんて、異例のことなんだから。

泉美　リスクマネジメントが完全に失敗していますよね。最初は、「医療崩壊を起こさないため」というのが目的だったのに、だんだん「感染者を出さない」という目的にすり替わっていきましたし。

小林　医者にもひどいのがいたな。特にテレビで見る医者は本当にバカなんだ。

泉美　「2週間の隔離では足りない、1カ月が必要だ」とか「家族は極力別居したほうがいい」とか、めちゃくちゃなことばかり言う医者が、よくテレビに出ていました。

小林　わしの読者にも医者はいっぱいいるんだ。そして、我々の意見に賛成してくれているし、いろんなことを教えてくれたりもしている。専門家、医者といっても、テレビに出ているのが最悪だということだね。

泉美　恐怖を煽りたがっているテレビ局が、まさに求めているコメントを言うとか、テレビに出ること

19　**GoToキャンペーン**　新型コロナ政策によって落ち込んだ観光需要を喚起するために政府が打ち出した支援策。

20　**「このままでは日本は感染の火だるまだ！」**　2020年7月30日、東京都医師会が開いた記者会見での尾崎治夫会長の発言。「コロナに夏休みはありません」などと述べ、強制力のある休業要請や、繁華街において無症状者を含めた感染者の洗い出すことなどを主張した。アイボに相談したところ、「どんどんやれ」と焚きつけられたという。

でなんらかの利益があるような人が、「医療系コメンテーター」として扱われるということでしょう。

小林　そこが本当に大事なことだよね。わしの読者の医者は、「指定感染症を外せと言ってくれてありがとう」とも言っているんだよ。それなのに、テレビに出ている専門家は、真逆のデタラメばっかり言うからおかしい。

泉美　現場で治療に当たっている人たちに迷惑をかけて、医療崩壊を起こさせるような方向のことばかり言っているわけですからね。

小林　そうだよ。よく、わしに「先生、それをテレビに出て言ってください」という人がいるんだけど、テレビはそもそもわしを出さないからね。

泉美　少なくとも『モーニングショー』は、小林先生にだけは絶対に声をかけないと思う(笑)。

小林　そうだよね。岡田晴恵、玉川徹、小林よしのりの3人でみっちり生放送で議論をすれば、とんでもなく視聴率が上がると思うんだけどね。でも、それは絶対にやらない。なんでだ?

泉美　結局、そんなことをやると、自分たちの化けの皮がはがれてしまうということをわかって、番組を作っているんじゃないでしょうか。視聴者を騙しているという前提が、意識の中にあるんだと思うんですよね。

小林　それ、あるよね。

泉美　玉川徹は、言っていることがすぐ真逆になっていたりします。自分のやっていることが、まやかしのテレビショーだという感覚があるから、論理破綻しても平気でいられるんでしょう。あくまでも**視聴率を上げる**[21]ためのエンタメなんでしょうね。

小林　うん。ふざけて人の命をもてあそんでいるよ。他の番組も、たいてい専門家や言論人を、「ちょっと異論のある面白い奴」というイメージで出すんだ。本当にまともなことを物静かに語っているところはカットされて、興奮して感情的になっているところばかり使ったりね。

泉美　テレビ局からインタビューを申し込まれた医者が、「ムダなＰＣＲ検査を行うべきではない」という意見を言ったのに、むりやり内容をねじ曲げて編集されて、「ＰＣＲ検査をもっと急増させるべきだ」という完全に真逆の意見として放送されてしまったという事件もありましたね。

小林　あったあった。作為がものすごくあるものなんだよ、テレビ番組というのは。だからわしは、もう出る気なんかしない。

泉美　テレビ局に都合のいい専門家しか出られない。それが、テレビだと思って見なければいけませんね。テレビに出ている専門家の言ったことで、私が特に頭にきたのは、「**夜の街**[22]」という言葉で、繁華街の飲み屋が感染源になっているということを長期間にわたって、執拗《しつよう》に言い立てたことですね。私は新宿区民ですし、夜の街で働いて生活の糧を得ていた時期も長くありましたから、そこで働く人々の姿や、いろんな生きざまが脳裏に浮かんできて、腹が立って仕方がありませんでした。あんなのは、差別としか思えません。

小林　差別ですよ。ホストクラブやキャバクラには、風営法を利用して警察が踏み込むという憲法違反

21　**視聴率を上げる**　新型コロナ騒動のためにドラマ撮影やスポーツの試合が中止となり、テレビ各局は報道系のみが視聴率をとる状態となった。なかでも高視聴率で独走したのが『羽鳥慎一モーニングショー』だ。昨年度、年間平均9.6％だった番組視聴率は、２０２０年５月４日には番組最高の14.1％を記録（ビデオリサーチ調べ、関東地区）。７月23日にも、歴代２位の13.8％を記録している。前日に当時国内最多７９６人の新規感染者が確認された日だった。

22　「**夜の街**」　新宿歌舞伎町などの繁華街の中でも、ホストクラブ、キャバクラ、バー、ナイトクラブ、居酒屋など夜間営業の水商売業を総称して「夜の街」と呼ばれた。

までやりはじめたが、営業の自由は、憲法22条の職業選択の自由と29条の財産権の保障で守られている。実際には、「家族感染」が感染経路として一番多いという話になったんだからね。じゃあ、家族の中に警察が踏み込めますかということになる。

泉美　風営法を使った脅迫でしたね。言うことを聞かなければ潰してやるぞという。そんな権利があるわけない。だったら、クラスターが出た一般の会社にも踏み込んだらどうですか、という話です。

小林　そうなんだよ。

泉美　「夜の街の住民は全員検査したほうがいい」なんてめちゃくちゃなことまで言っていましたけど、失礼極まりない。公共の電波を使った差別の扇動ですよ。そんなことを平気で言えたのは、水商売の人間に対しては、そんな扱いをしたところで怒る視聴者はいないだろうという感覚もあったでしょうね。

小林　そうそう。水商売に対して何で国家権力が介入していくのか、とは、一般庶民は絶対に言わない。

泉美　怒っていたのは、私ひとりだけでしたよ。腹立たしかったなあ。

小林　**パチンコ**[23]も標的にされていたね。

泉美　クラスターが出たわけでもないのに。水商売、パチンコ、風俗と、風営法関連業種は、「ああいうところで働いている奴ら」みたいな差別的な見られ方をしているから、失礼なことを言ったり、むちゃくちゃな政策をとったりしてもかまわないという。

小林　うん。だから、そういう差別主義者を権力がうまく利用したんだよ。

ねじ曲げられたスウェーデンとブラジルの真実

泉美　リスクマネジメントを考えるなら、感染症だけでなく、いろんな分野の専門家を入れる必要がありますね。経済の専門家、教育の専門家、家庭問題の専門家、文化の専門家、もっといろいろあると思いますが、それらの専門家の知見を総合的に判断して、政治家が日本国内の現状と見比べて、バランスをうまくとった決断をしなければいけないと思います。

小林　そうだね。ところが、コロナは非常に危険なものだという考えの人間ばかりを集めて、専門家会議を作っている。そこがまずおかしいよね。

泉美　そうですね。皇統問題の有識者会議なんかとまったく同じですよね。男系継承が絶対だという意見の有識者だけを集めて、そういう結論を作ってしまうという。

小林　まったくそう。木村《きむら》もりよさん（元厚労省医系技官・医師）は、最初から、感染症対策には、ロックダウンや自粛で、人の動きも経済も文化もなにもかも停止してしまう「抑圧政策」と、多少は気をつけるけど全体的にはゆるくやっていく「緩和政策」とがあるという視点から入っていたんだよ。じゃあ、なんで彼女を専門家会議に入れなかったんだろう。

要するに、最初の段階から、「緩和政策」で集団免疫を作るという選択肢を、現実味のある政策として考えていないんだよね。ウイルスを研究している人間は、理論上は集団免疫で収束するということを言うんだよ。でも、「それを現実にやるのは無理でしょうけどね」という感覚がくっついている。そこがおかしいだろう。

例えば、**エボラ出血熱**[24]のような致死性の高いウイルスなら、現実にそんなことは難しいというのはわかるけど、コロナは最初の時点でそのようなウイルスではないと見抜かなければ、話にならない。特

23　**パチンコ**　休業要請に応じないパチンコ店について、各都道府県知事らが店名を公表し「行かないで」と発言するなど徹底的に弾圧した。

に日本においてはね。それなのに、「二類相当」だとして、さらに無症状者まで探しはじめて、エボラ出血熱や**ペスト**[25]と同じ「一類」のような扱いをした。

そう考えると、最初から「緩和政策」でいくと判断していたスウェーデンの**テグネル博士**[26]はすごいよね。一体どうなってるの、というぐらい勇気があるよ。

泉美　テグネル博士は、高齢者施設は最初から閉鎖しましたけど、ロックダウンのような政策は、長期にわたって持続できないし、経済的な問題も起きるし、子どもが教育を受けられなくなったり、家庭不和による虐待や暴力問題も起きるからダメだということを一番最初に言っているんですよ。

小林　最初から総合知があるわけだよね。

泉美　そうですね。だけど、もともとヨーロッパでは、感染症の専門家が集まって、パンデミック対策について話し合っていて、この20年間は、テグネル博士が言っていたような結論で合意がとれていたんですって。

ところが、いざとなったら、みんな「緩和政策なんて無理。はい、ロックダウン」となってしまったから、テグネル博士からすれば「え、なんで？」という感覚だったでしょうね。ラジオ番組で「あれだけ話し合われてきたことが、すべて忘れ去られた。正気の沙汰でない」と発言していましたから。

それからテグネル博士は、世界中のメディアで叩きに叩かれることになるんですけど、その圧力には屈しなかったんだから、すごい人だと思いますよ。

小林　うん。そして、どこの国も「第2波だ」と大騒ぎになっていた夏には、スウェーデンはすっかり収束して（**図14**）、みんなビーチに繰り出して、ソーシャルディスタンスなんてのも忘れてしまっているんだよ。

するとさ、日本のマスコミは「スウェーデンには第2波がありません、強烈なロックダウンを取っていないからです」と軽い扱いで報じるんだよね。ところが、最後は必ず「しかし、5千人以上の死者が出ました」と、締めるわけだ。そうなったら、日本人は「えっ、5千人も死んだのか。やっぱりスウェーデンは大失敗だな」という結論に導かれていく。これって、ものすごくおかしいでしょう。

泉美　おかしい、おかしい。スウェーデンは、イギリスやスペインやイタリアなんかよりはるかに死者が少ない（**図15**）のに、北欧の周辺国よりも多いとか、高齢者施設で多数の死者が出たという理由で叩かれるんですよね。

もともとスウェーデンは、高齢者に人工呼吸器をつけて延命するのは老人虐待だとされていますし、自然に看取るのがいいという死生観がある国です。それからもうひとつ、亡くなった層には移民がとても多いんだそうです。スウェーデンは移民大国なんですが、職業にも差があるし、賃金格差や失業率も移民のほうが不利なんですよね。そこが影響している可能性があるということは、テグネル博士

24　**エボラ出血熱**　エボラウイルスによる感染症。主にアフリカで発生。感染者致死率は20〜90%とされる。高熱、頭痛、筋肉痛、全身衰弱ののち、嘔吐、下痢、発疹、多臓器不全、吐血や複数の臓器での出血症状が見られ、死に至ることが多い。感染者の血液や分泌液、体液、臓器、これらに汚染されたベッドや衣類などの物体に、皮膚の傷や粘膜が直接接触することで感染する。

25　**ペスト**　ペスト菌による感染症。感染したノミに噛まれることなどで感染し、ヨーロッパで大流行が繰り返され、皮膚が黒くなって死亡するため「黒死病」として恐れられた。現代では抗生物質で治療可能。ちなみに、コロナ禍において、アルベール・カミュ作『ペスト』の売上げが急激に伸び、2020年2月からの2カ月で過去30年分にあたる15万部を増刷したという。

26　**テグネル博士**　アンデシュ・テグネル。1956年生まれ。スウェーデン公衆衛生局新型コロナ対策責任者。医師で国家疫学官。ロックダウンを行わずに集団免疫策を進めて注目を集めた。

スウェーデンの新型コロナ感染者数の推移

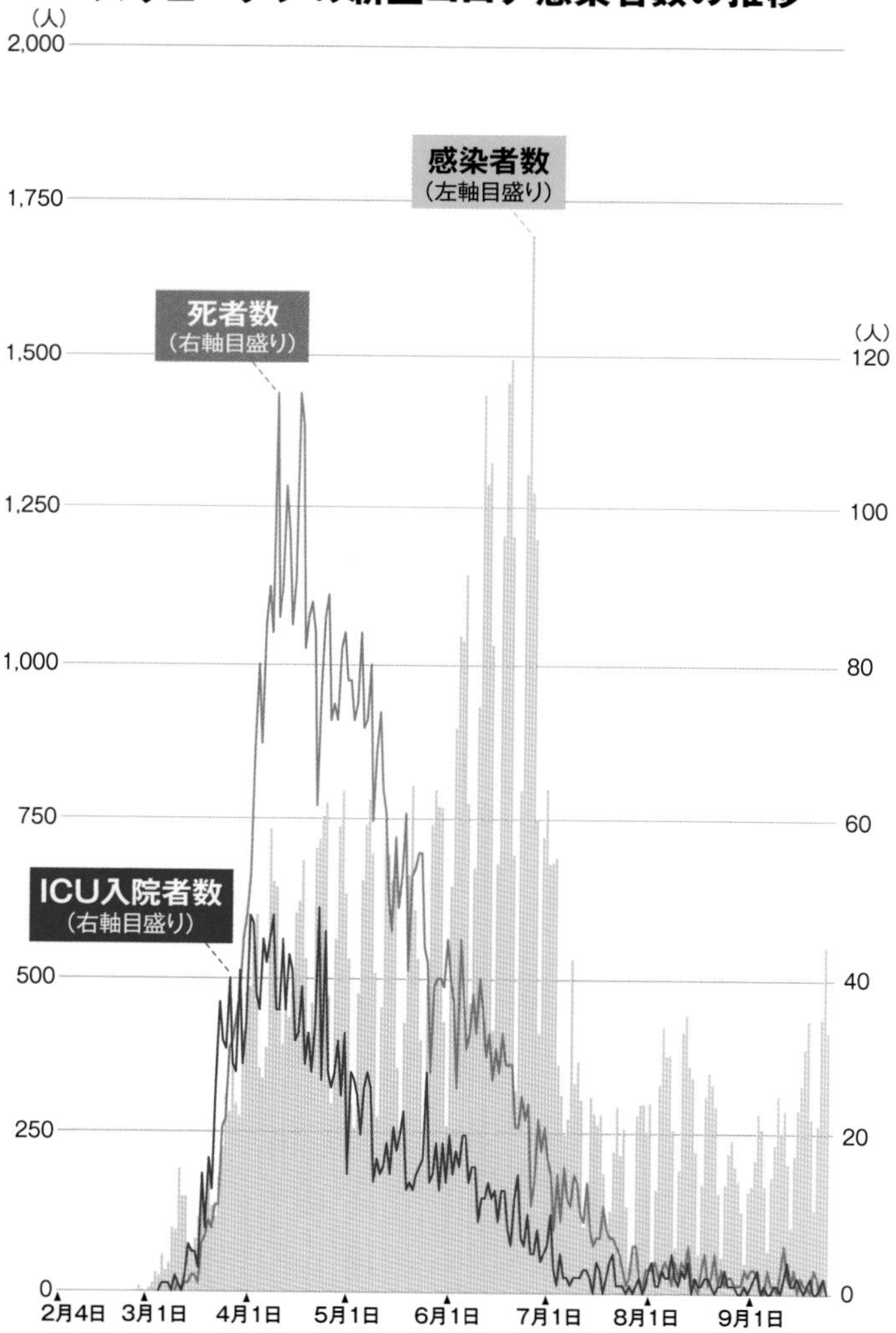

データ参照元／スウェーデン公衆衛生庁（期間／2020年2月4日〜9月24日）
※死者数の統計は、死因に関係なく新型コロナウイルス陽性が確認された人々の数を示す（スウェーデン公衆衛生庁「故人に関する統計」より）

図14

おもな国の新型コロナ感染状況

	感染者数	死者数	回復者数
スウェーデン	94,283人	5,895人	(統計なし)
ノルウェー	14,149人	274人	11,190人
デンマーク	29,418人	652人	22,267人
フィンランド	10,244人	344人	8,100人
イギリス	462,781人	42,292人	2,385人
ドイツ	296,968人	9,514人	259,660人
フランス	616,986人	32,034人	99,154人
イタリア	317,409人	35,918人	228,844人
スペイン	778,607人	31,973人	150,376人
アメリカ	7,279,109人	207,816人	2,860,650人
ブラジル	4,847,092人	144,680人	4,299,659人
中国	90,567人	4,739人	85,479人
日本	84,770人	1,591人	76,081人

データ参照元／米・ジョンズ・ホプキンズ大学「COVID-19 Dashboard」(2020年10月2日現在)

図15

も言及していました。

小林　高齢者施設から一番多く死者が出たということに関しては、テグネル自身もちょっと改善の余地があったなという感覚を出していたよね。

泉美　そうです。ただ、スウェーデンの平均寿命は82．4歳で、コロナの死者の平均年齢は83歳。もはや天寿を全うした人々だというふうにも解釈できます。だけど、日本を含めて世界中のほぼすべてのメディアが、「**テグネル、失敗を認める**」[27]というふうに完全にねじ曲げて報道してしまったんですよ。

小林　そうそう。テグネルが言ったのは、次の時も同じようにロックダウンはしないけれども、高齢者施設に関しては徹底的に対処をするという話だからね。移民問題があるなら、国の政策そのものについても考え直さなければならないということになりかねないし、外から簡単には言えないはずだ。

泉美　そう思います。だけど、ロックダウンした国は、とにかくスウェーデンを口汚く罵ったんですよね。ニューヨーク・タイムズ紙なんかは、「スウェーデンは死者を出した上に、まわりの国に引きずられてGDPも落ちた。いいことなんかひとつもなかった」と書いていました。いやいや、お宅の地元は、ロックダウンのせいでスウェーデンどころでない経済的打撃になってますけど、という話です。

それに、経済だって国によって成り立ち方が違います。スウェーデンは、外需に頼る国だから、まわりの国がロックダウンすれば影響を受けるのは当たり前なんですよ。だからこそ国内消費を守ったわけで、外需も内需も破壊した国がどうこう言えません。

小林 そうだよね。自分たちが無駄なことをしたと思いたくないという心理だろう。現にテグネルは、スウェーデンの中では、信頼してよかったということでヒーローになっているんだからね。

泉美 そうですよ。テグネル博士の顔をプリントしたTシャツとかスマホケースとか、どんどん商品化されてアイドル状態です。同じようなバッシングは、ブラジルに対しても起きたんですよね。

小林 **ボルソナーロ大統領**[28]な。

泉美 ブラジルは、人口の10％の人が国の総所得の半分近くを稼いでいて、残りは1日70円から300円の生活をしているというものすごい貧富の格差がある国です。貧困層は、清掃や配達や物売りをして生きているから、ロックダウンなんかしたらすぐに食べていけなくなりますし、しかも、肥満体で持病をわずらっている人も多い。

ところが、日本で報道されたのは、「ボルソナーロは、富裕層におもねって、貧困層を犠牲にして経済を優先させている」という内容でした。

小林 そんなバカな。逆だよ逆。

泉美 そう。「ロックダウンしろ」と言っていたのは、ほとんどは都市に住んでいるインテリ層だったんですって。そりゃ、生活に困らないから簡単に言えますよね。

小林　なるほど。やっぱりな。

泉美　実際には貧困層にもボルソナーロ支持者はいますしね。だけど、日本はブラジルのことをものすごく蔑むんですよね。ボルソナーロがコロナに感染した時は、「ざまあみろ」とまで言うキャスターがいましたよ。

小林　むちゃくちゃだよ。ブラジルは、そもそも貧困者が多い国だから蔑もうとしているんだよな。だが、スウェーデンはそういう形で蔑むことはできない。だから、国を蔑むというよりも、「死者が多かったじゃないか。失敗だ」と言いたがる状態になったわけだ。

泉美　そういう論調に惑わされてはいけませんね。

「高齢者を死なせてはいけない」という偽善

泉美　私は、自分の連載でスウェーデンのことを何回か取り上げて、ステイホームじゃダメだ、経済を

27　「**テグネル、失敗を認める**」　スウェーデンの地元ラジオに出演したテグネル博士が、高齢者施設で死者が多発したことについて、集団免疫戦略そのものは正しいとしながらも「改善すべき点は常にある」と振り返った。日本をふくめ世界中のマスコミが、この一言のみを取り上げ、戦略の失敗を認めたかのように報じた。テグネル博士はその後、「スウェーデンは『ちょっとした脅威』と認識されている。他国に対して、疑問を投げかける可能性があるからだ」と述べている。

28　**ボルソナーロ大統領**　ジャイール・ボルソナーロ。1955年生まれ。第38代ブラジル大統領。「コロナはただの風邪」と発言し、自身が感染した際もマスクを外して元気な姿をアピールするなど、スウェーデンのテグネル博士とともに世界中のマスコミから非難を浴びせられた。

回さないと、生活に困っている人がいっぱいいるんだと書きましたが、そのたび、「あそこは大勢が死んでいるんだぞ」とか「大勢の高齢者を殺した国を賛美するのか。お前は高齢者を見殺しにしてもいいのか?」というメールが何通か届きました。

小林　それ、わしのところにも来るよ。思慮が浅いんだよね。

泉美　そういう怒りを聞くと、じゃあ、高齢者がどのように死んだら納得するのかと思うんですよね。今までだって、風邪をこじらせて死んでしまう高齢者はたくさんいましたよ。コロナで死ななかった高齢者が、コロナが過ぎ去った後、普通の風邪やインフルエンザにかかって死んだら、それはいいということなんでしょうか。

「高齢者を死なせてはいけない」という異様な空気ができあがったせいで、介護施設で働いている方が、大変な圧力を感じていますよね。「**ゴー宣道場**[29]」にも介護職の方が何人も参加していて、どうやって高齢者を守ればいいか、知恵が欲しいとおっしゃっていましたけど、本当に切実だと思いましたよ。

小林　「ゴー宣道場」の門下生には、介護関係の人が多いのよ。高齢者を守っている立場の人たちは、「高齢者を絶対に殺してはいけない」という論調にものすごく圧迫を感じていて、わしの意見のほうに安心すると言うんだよね。

わしは、インフルエンザの時と同じようにすればいいと考えているし、今まで、インフルエンザの時にだって介護職の人はものすごく用心していて、亡くなった場合は仕方がないということになっていたんだよ。だから、それが当たり前の感覚だと考えていいと思う。でも、コロナは、感染者を出しただけでその施設が問題視されてしまう。そこに非常に責任を感じてしまっているんだよね。

だけど、違う。それは、言論をやれる立場の人間や、社会のジャーナリズムの責任だ。そのような風潮を放置していることに責任があるのであって、介護職の人たちには責任はない。だって、ウイルスを防げるわけがないんだからね。それに、責任があると言って問題視すること自体が悪い。そういうことで糾弾するような社会を、もっと我々が叩かなければならない。我々に責任があるんだ。

何もわかっていない人間が「高齢者を死なせてはならない」と言ったって、信用されないんだよ。「命の選別は悪だ」という感覚はあるけれど、やっぱり、赤ちゃんや若者の命は、未来があるから価値が高いと考えるんじゃないか？　天秤にかければ、どうしてもそうなってしまうし、天秤にかけてはいけないというほうが、エセ・ヒューマニズムだよ。

泉美　家で高齢者の世話をすることができなくなってしまった人たちが、介護士の方々に、最期の時が来るかもしれないけれども、それまでどうかよろしくお願いしますという感覚で託すんですものね。それを、「感染者を出すな、死なせるな」と指をさすようなことは、卑怯ですよね。

小林　そう。卑怯だよ。

泉美　「高齢者を見殺しにする気か」と言っている本人が、自分の親、あるいは、自分自身をどうしても施設に託さなければならなくなる時が来るかもしれませんよね。人には最期の時があり、寿命があり、いつか死ぬんだということを、もっと当たり前にわかっておかないと。

小林　そうそう。高齢者を抱える家族にしたって、誰も死んでほしいなんて思ってはいないだろうけど、人工呼吸器をつけた状態になって、どんどんお金を食っていくということになれば、その時はほとんど葛藤になるんだろう？　「生命維持装置を外してください」と言うか言わないかという瀬戸際の部分は。

29　**「ゴー宣道場」**　小林よしのりが開催している「身を修め、現場で戦う覚悟を作る公論の場」。小林のほか、高森明勅《あきのり》、笹幸恵、泉美木蘭、倉持麟太郎らが「師範」として登壇し、全国で議論を行っている。

泉美　生命維持装置は、一度つけたら、もう外せないというのが一般的な見解なんですよ。患者が死ぬことがわかっているのに、人工呼吸器を外したとなると、殺人の可能性があるということになって警察沙汰になる場合もあって。

それから、死期の迫った高齢者を抱える家族の問題として現実にあるのは、意識がなくて、生命維持装置につながれてようやく生存しているという状態になっても、死んでいなければ、家族のもとに年金が入って、治療費を差し引いてもプラスになるという場合があったりするんですよね。

小林　うわあ、そうなの。

泉美　あまり表沙汰にはならないけど、そう珍しい話でもないんです。今は満足な収入が得られなくて、結婚できないまま中高年になった人が、80代ぐらいの親元でずっと暮らしていて、親の年金で生活しながら、介護をしているという話もたくさんありますしね。高齢者の命について、聞こえのいいことばかり言う人は、幼稚ですよ。

小林　そうだな。その話は、そのテーマだけでもっと徹底的に議論しなければならないほど深い話だ。そういう深さや複雑さを一切無視して、高齢者を死なせてはいけないというようなテーゼを作ってしまったらダメだ。

泉美　ましてや、高齢者を死なせないために、若い人が動き回ってはダメだと経済を止めるなんて、やってはいけないことですね。

「人の命が地球より重い」はずがない

小林　「感染が終わってから経済を回すんだ」と言って、ＧｏＴｏキャンペーンをやめさせようとした人間が出てきたのも、腹が立ったね。大人が言ってはいけないことだ。何を目安に感染が終わったと見なすんだ。

泉美　玉川徹なんかは、武漢を目安にしていますよね。住民全員検査をやって、1人も陽性者が出ないことを確認したら、終了だと。

小林　武漢の言うことなんてよく信用できるよ。最初の頃に、新型ウイルスが発生しているから危険だ、ということを知らせていた医者を、**口封じ**[30]してたじゃないか。

泉美　人権というものが存在しない国ですからね。ニューヨークがいつでも誰でもPCR検査できるようにしたということも、すごく賛美されましたが、でもそのニューヨークがとんでもない経済的打撃を受けているということについては、あまり報じられていないんですよ。

小林　経済におけるリスクは一切考えないという状態になっているんだよね。産経新聞は、社説で「楽観論は危険だ」と書いていた。コロナは風邪だとか、わしが言ってるようなことは楽観論だと。だから「**ファクターX**[31]」の解明に全力を注がなくてはならないというんだよ。
だがそれはおかしい。「ファクターX」なんていつ解明されるんだ。データを見て、日本は他の国と比べて安全なんだとわかっているんだから、もう経済を回さなければならないんだよ。それを、「理由

30 **口封じ**　2019年12月、中国の武漢市中心医院の医師・李文亮氏が、原因不明の肺炎の危険性について注意を呼びかけたが、武漢市公安当局から「デマを流した」として地元派出所に呼び出され訓戒処分を受けた。李氏はその後、新型コロナによる肺炎で死亡。中国当局はその後、李氏への処分が「不当で、法執行の規範に基づいていない」と認定し、一転して英雄扱いした。

31 「**ファクターX**」　日本人のコロナ死亡者が少ない背景にある、何らかの隠れた理由。山中伸弥教授が指摘した。

がちゃんとわからないから、まず解明しろ」といって経済にブレーキをかけるのは、産業経済の新聞が言うことじゃない。そんなことを言ってたら、みんな死ぬよ。

泉美　楽観論だという決めつけもおかしいですね。何も考えずに言っているわけじゃなくて、データを科学的に検証した、その結論なんですから。

小林　そうだよ。根拠なしの楽観論ではない。

泉美　経済よりも命のほうが大切なんだから、自粛してステイホームしていましょうと言っていた人というのは、つまり、焦って働かなくてもいい身分だったという言い方もできるんですよ。特に、テレビの専門家や、コメンテーターなんかは、「自粛しろ、家にいろ、経済よりもまずは感染しないことだ」と言うことでお金をもらっているんだから、話になりません。

だけど、人々が自粛している間も、スーパーや、流通や、ごみ収集や、新聞配達など、ずっと普通に働いている人々がいたわけでしょう？　そして、働きに出なければ生活が成り立たない、休まされたら困るという人々も大勢いるんですよ。そこにはまったく目を向けないし、怒りもしないなんて。

小林　義憤も起こらなかったというのがね。なんにも正義がないね。

泉美　冷たいですよ。みんな本当に自分のことしか考えていないんだということがよくわかりました。コロナに関しては、初期症状から後遺症まで、血まなこで見ているのに、どうして経済については考えないんでしょう。

小林　わしは『コロナ論』で、「経済のほうが大事だ」と言い切った。経済が人間の基盤なんだから当たり前なんだよね。昔、「人の命は地球より重い」と言ってテロリストを解放した福田赳夫《ふくだたけお》という首相がいたんだ。だけど、そもそも「人の命が地球より重い」はずがないよね。まず、地球があったんだよ。地球があったから生物が生まれて、進化して人間が生まれた。そのちっぽけな人間が、どうして地球より重いんだよ。

動物と違って人間社会には、まず経済がある。経済がなければ、現実として飯が食えなくなる。じゃあ、どうやって生きるんですかということなわけだよ。

人間だけそこにポンといても、経済活動をやっている社会がなければ、どうやって生きていく？素っ裸の人間がいたら、まずは洋服を買いましょう、そして何か食べましょうということになる。これ、すべて経済だから。

泉美　日本人はもはや狩猟採集生活をしているわけではないし、食べていくということは、お金を稼ぐということですものね。しかも、稼ぐにも全員がテレワークのできる仕事に就いているわけでもない。そんな簡単なこともすべて忘れて、他人の営みに対してとんでもなく無神経になっているなんて、意味がわからないです。

小林　そうだよね。わけがわからん。もっとさかのぼって言えば、交換が始まれば、そこが経済のスタートなんだ。原始人の段階においても、「食べ物を取ってきたから、その槍と交換してくれ」と言いはじめたら、経済のはじまりだよ。価値と価値の等価交換だからね。

そこから、物々交換ではなく、貨幣になり、貨幣がいろいろなところで通用するということになっていく。そうやって、人間はまず「経済」という仕組みの上に生きてきたわけだ。経済がなければ、ただのサルだよ。

第三章
グローバリズム脳から脱却せよ

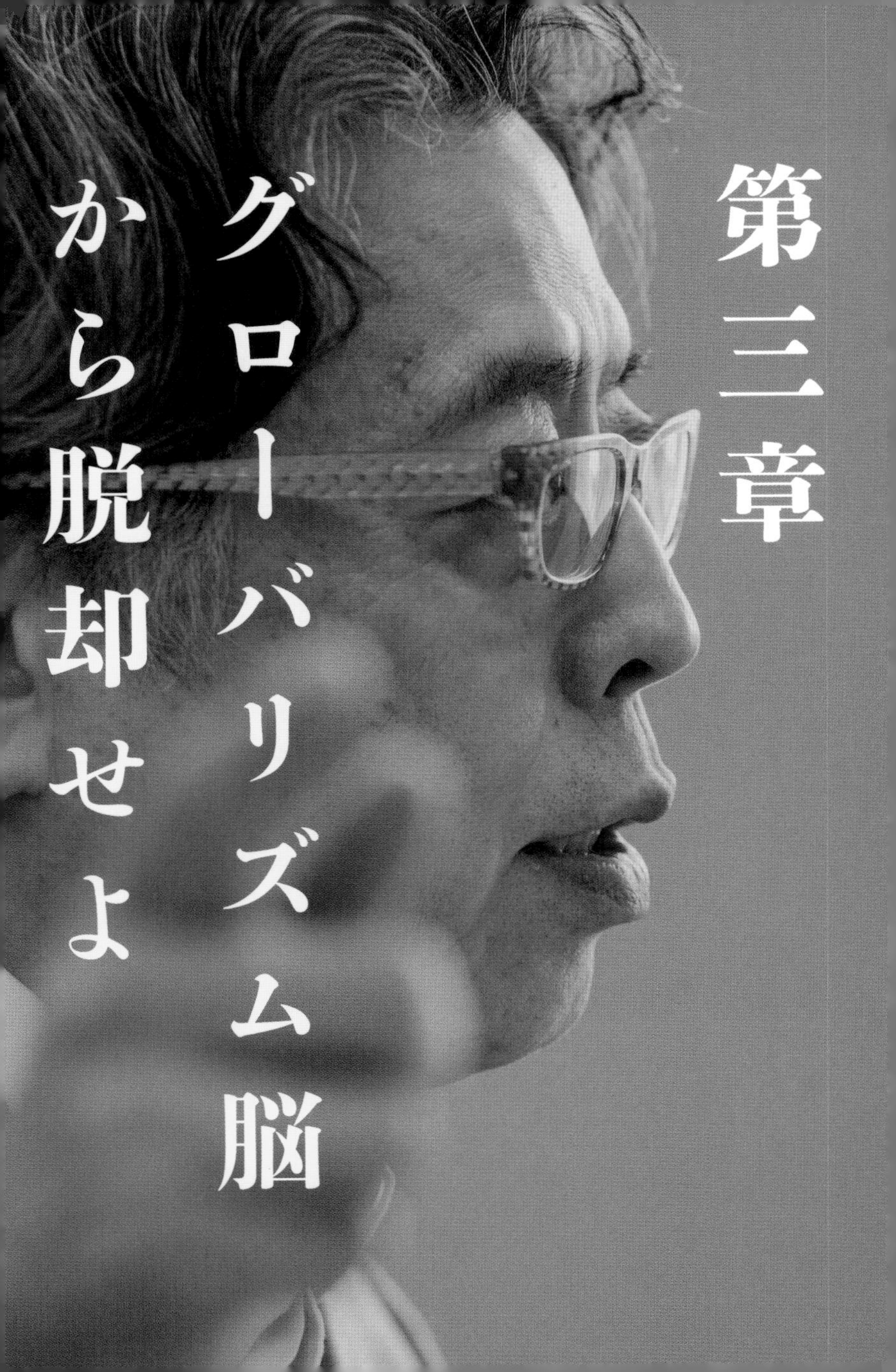

医療制度は国によって違う

泉美　世界各国のデータを比べると、日本は3月の段階からかなり死者が少なかったですし、それだけでも「海外は大変そうだけど、日本ではそれほどのものではないな」と安心してよかったと思います。でも、そうはなりませんでした。特に、イタリアのように医療崩壊を起こした国の悲惨な映像が繰り返し報道されたことで、恐怖心ばかりが膨らんでしまって、日本とはまったく条件の違う国で起きていることだというのが、わからなくなってしまったように思います。

例えば、医者の労働観ひとつとっても、ヨーロッパと日本とでは違います。ヨーロッパでは、夏になれば医者も平気で病院を閉めて1カ月もバカンスに行ってしまったりしますが、日本はせいぜい数日のお盆休みです。イタリアなんかは、医者の平均労働時間が8時間程度ですが、日本の医者は、ほとんど休みなく、何時間でも患者のために働いて、自己犠牲も厭《いと》わない。カップラーメンで空腹を満たしてソファで仮眠したりする人だって普通にいますよね。

小林　そう、すごいよ。

泉美　日本の医療の仕組みが医者をそうさせるんだという意見もありますが、やはり日本人らしい生真面目さや治療への執念がそこにはあるでしょう。ヨーロッパの国々からは、「何でそこまでするの？　家に帰って寝なさいよ」というふうに見えるわけです。看護師もそう。外国人は、日本の看護師が体を拭いてくれただけで、あまりにも親切すぎて感動するんですって。日本でしか体験できないことなんです。「働き方」ということを、あくまでも合理性だけで考える国も多いわけで、日本も海外も同じような医療だと当たり前のように考えていると見誤りますね。

小林　そうだね。コロナでは、日本と同じ治療を外国の医者もやっていると思う。だけど、外国ではどんどん死者が出る。その現象が、こっちにもやってくると思い込んでいるのが、グローバリズム脳なんだよ。

泉美　それぞれ違う国なのに、世界中、等しく同じ現象が起きるわけがないでしょ、ということに立ち戻らないといけませんね。

医療制度のことをもう少し掘り下げておくと、日本の場合は、**国民皆保険制度**[1]で、全国津々浦々に病院が配置されていて、いつでも誰でも簡単に1〜3割負担で病院にかかれます（**図16**）。だけどアメリカは、コロナの患者が何百万円も治療費を請求されていました。無保険の人も大勢いるし、だから普段からサプリを飲んだりして、なんとか自力で健康であろうとする人が多い。病気にかかると一家が破産するかもしれないのがアメリカです。

イギリスは、基本的に医療費は無料ですが、財源は税金です。日本のように簡単に医療を提供すると財政崩壊してしまうという面もあるようで、「かかりつけ医」と「専門医」に分けて、それぞれ予約してしばらく待たないと診てもらえない仕組みになっています（**図17**）。

病気になったら、まずは電話相談して「かかりつけ医」の予約をとり、数日待つ。それで受診して、検査が必要なら「専門医」の予約をとり、1〜2カ月待つ。だから、がんの救命率なんかはすごく低いんですよ（**図18**）。

小林　スウェーデンも同じだよね。簡単に病院にかかれない。電話して予約しようと思っても、「そのぐ

1　**国民皆保険制度**　すべての国民が何らかの公的医療保険に加入し、お互いの医療費を支え合う制度。日本では1955年頃まで農業や自営業者、零細企業社員を中心に国民の約3分の1にあたる人が無保険者だった。1958年に国民健康保険法が制定され全国の市町村で「いつでも・どこでも・誰でも」保険医療を受けられる体制が確立した。

人口100万人あたりの病院数

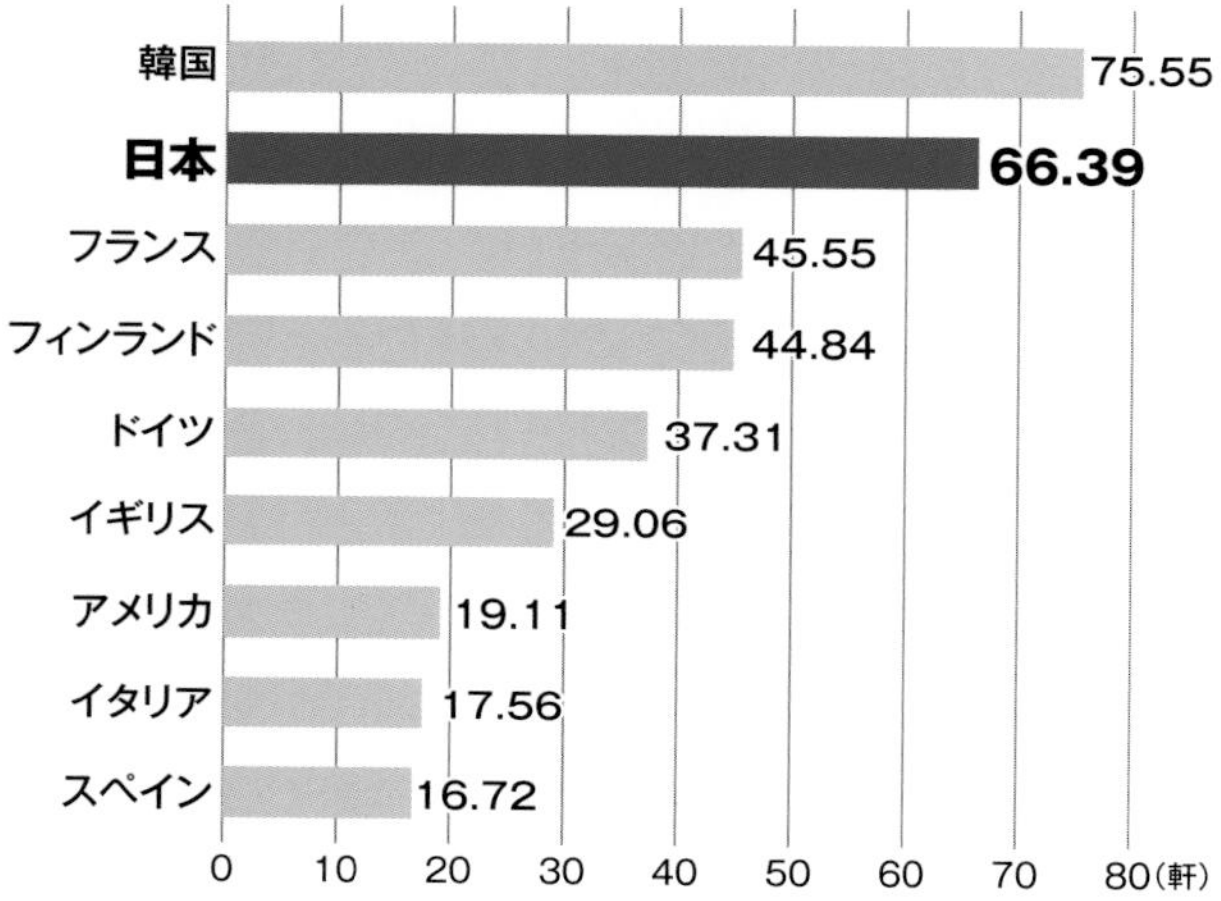

データ参照元／「OECD Health Statistics 2020」 ※データは2017年のもの

図16－1

人口1000人あたりの病床数

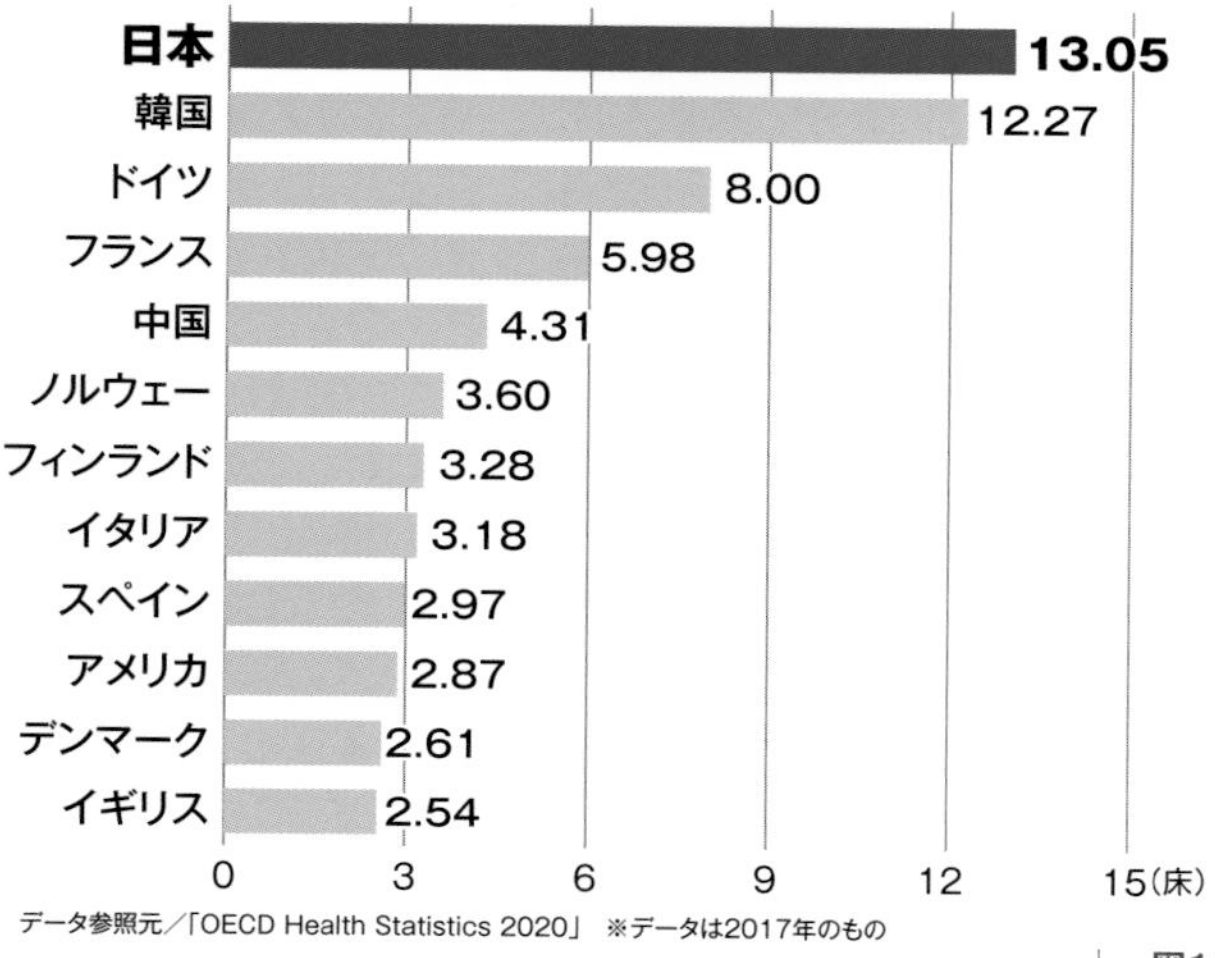

データ参照元／「OECD Health Statistics 2020」 ※データは2017年のもの

図16－2

国民1人あたりが1年間で医師にかかる回数

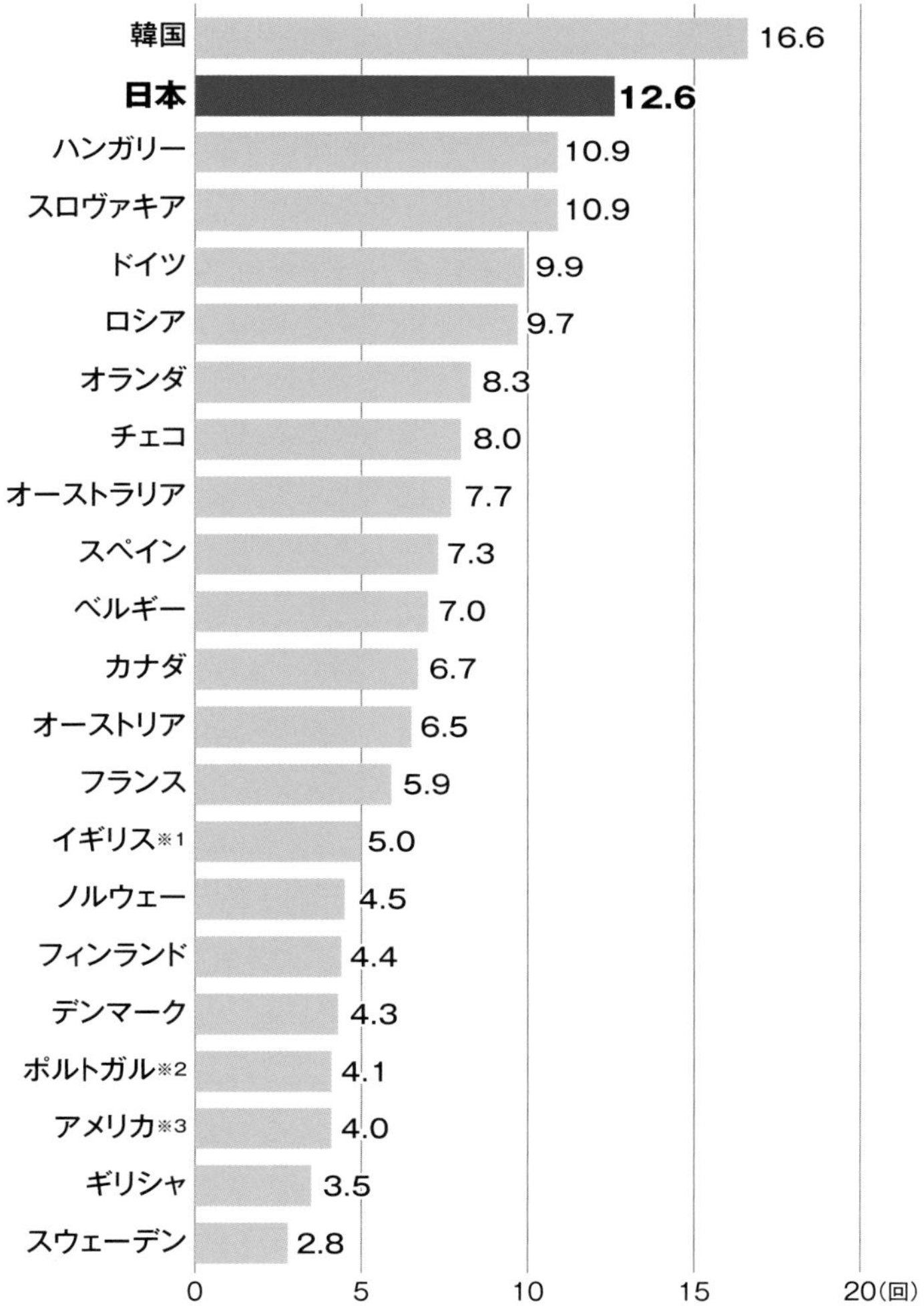

データ参照元／「OECD Health Statistics 2020」　※データは2017年のもの
※1 2009年　※2 2012年　※3 2011年

図16－3

らいだったら家で寝ていてください」と言われてしまうんだよ。だから、スウェーデンの死生観やコロナの対応だけを見て、いい国だと思っていても、実際に住んでみたら、急にお腹が痛くなったとか、体の様子がおかしくなったという時に、大変な目に遭うかもしれないよ。

日本は簡単に病院にかかれるし、救急車も呼べばすぐに来てくれる。たらい回しがどうのとよく言われているけど、やっぱり救急車に乗っただけでも安心感が違うよ。

泉美　**救急車が無料で誰のところにもすぐに来てくれる国って、世界では稀**[2]なんですよね。いつでも駆け込める病院があるという、その制度そのものが、生活している上での基本的な安心感につながっていますよね。

小林　そう。全然違うよ。「かかりつけ医」というのも、日本とヨーロッパじゃ、意味が全然違うんだろ。

泉美　はい。日本の場合は、いわゆる町の開業医が、その地域の住民にとっての「かかりつけ医」として機能してくれていますよね。自分で、この病院のこの先生がいいなと決めて、お世話になるという感じ。都会では少なくなっているのかもしれませんけど、夜中に子どもが熱を出したりして、「どうかお願いします！」と駆け込んだら、診てくれる先生もいたりしますよね。

小林　わしも子どもの頃、何度もあったね。喘息だったから。夜中に開けてもらっていたわ。そういうのが、日本の「かかりつけ医」だね。

2　**救急車が無料で誰のところにもすぐに来てくれる国**…　外国人旅行者でも保険未加入者でも、119に電話をすれば誰でも無料で救急車で来てくれる日本の制度は、世界的には極めてまれ。海外ではタクシーのように距離によって料金が決まっていたり、数万～十数万円の費用がかかる場合が多い。イギリスは無料だが、利用するには事前に地元の医療機関に登録しなければならない。

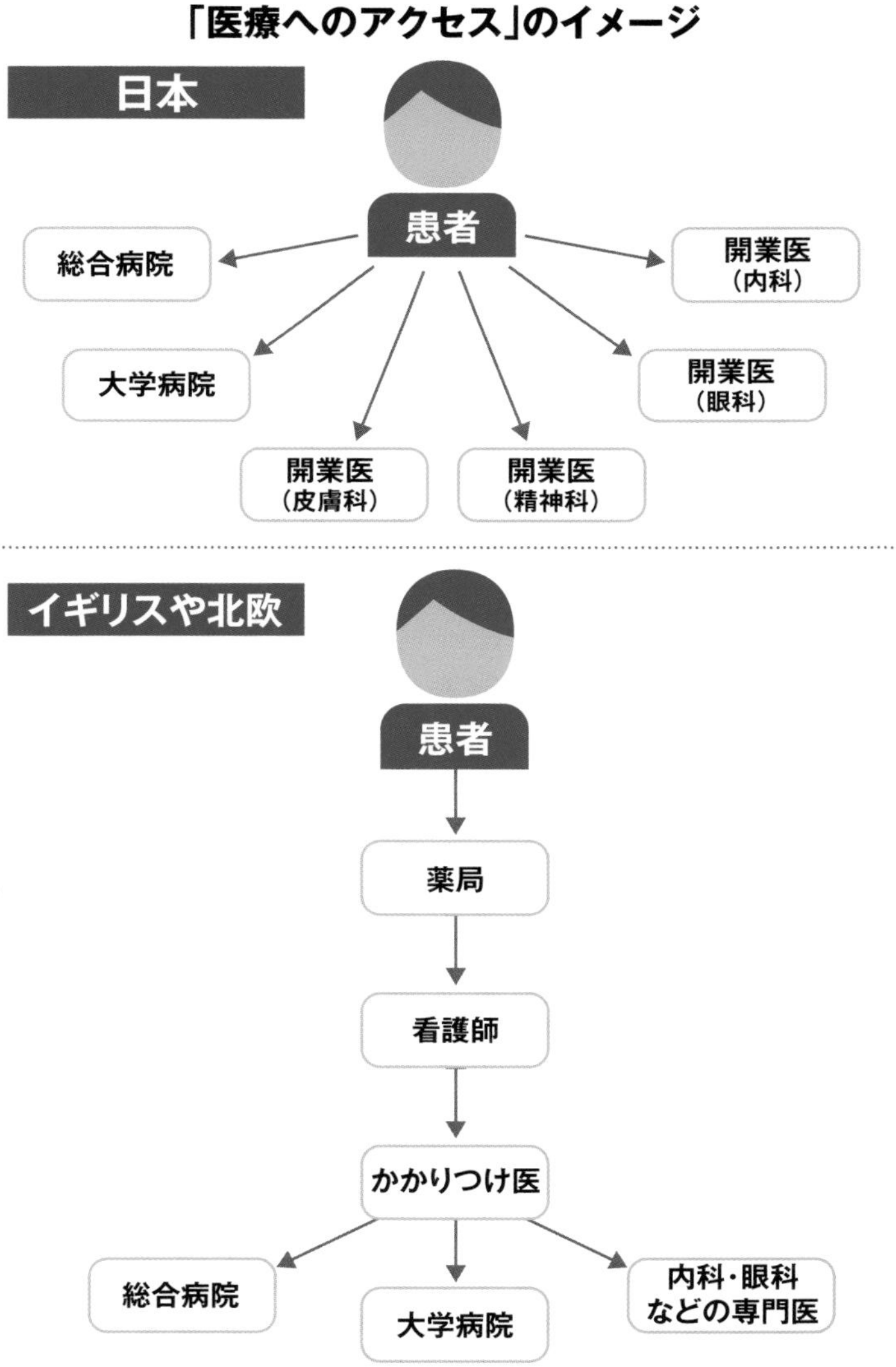

「日本の医療、くらべてみたら10勝5敗3分けで世界一」（講談社）より

図17

肺がん患者の5年生存率

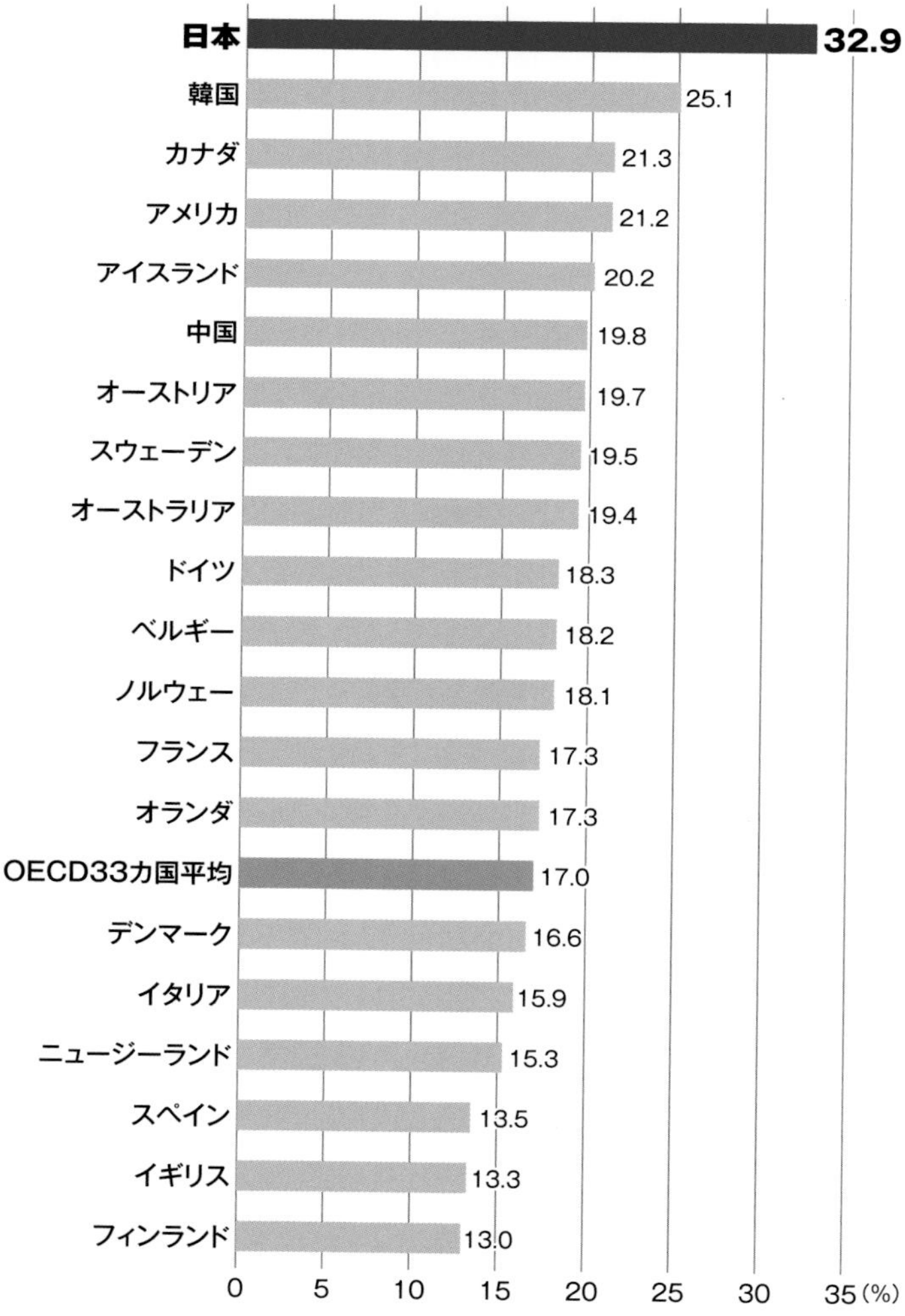

データ参照元／「OECD Health Statistics 2020」　※データは2010-2014年のもの

図18－1

大腸がん患者の5年生存率

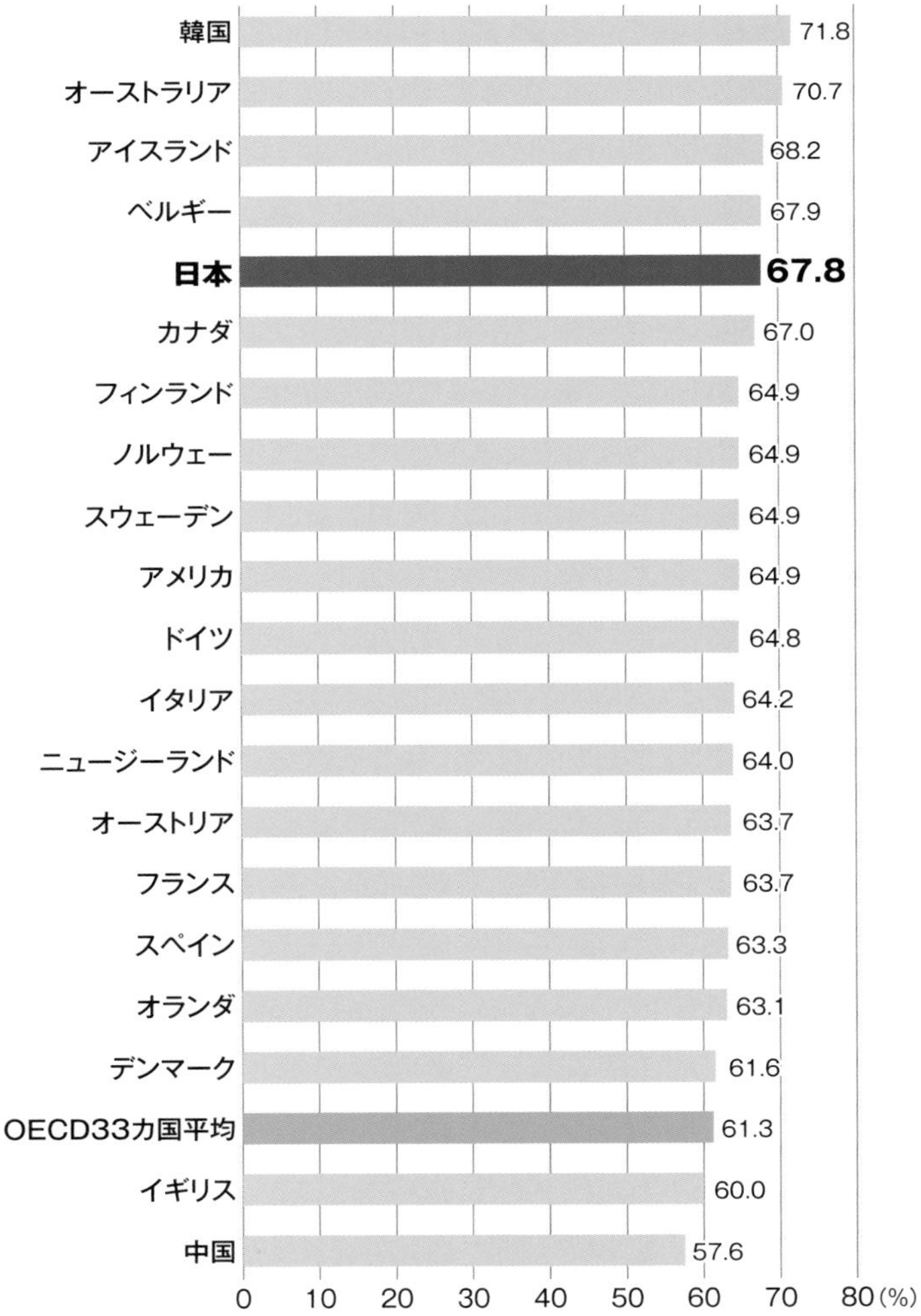

データ参照元／「OECD Health Statistics 2020」 ※データは2010-2014年のもの

図18－2

泉美　ヨーロッパの場合は、システムとして設置した「かかりつけ医」です。例えば、イギリスの「かかりつけ医」は、国から決められたエリアに開業して、割り当てられた患者を担当する公務員なんですよね。もちろん、それは専門の訓練を受けている医者で、大病院にかかるまでもないけれども不安を感じている人をどうケアしてあげるのかという役割を、高収入とはいえない給料で担っているから、とても尊敬されている存在なんです。ただ、医療の内容に限りもあるし、飛び込んで診てもらえるというものではないので、日本の「かかりつけ医」とは、また違います。

小林　わし、深夜に顎が外れたことがあるんだよ。

泉美　ええ!?

小林　あくびをするのが快感になって、思いっきりあくびをしたら、パカッて外れて口が閉まんなくなっちゃったんだよ。だから、深夜に顎が外れたままタクシーに乗って、病院に行ったんだ。でもちゃんと診てくれたし、ちゃんと、グワーッと入れてくれたからね。顎。すげえ助かった。日本はいいわあ。

泉美　（爆笑して何も言えない）

小林　それがスウェーデンだったらどうよ。顎が外れたまんま、何日もそのまんまでおらなきゃならんのだぞ？　その間、人にも会えんじゃないか。顎が外れてるんだから。やっぱりね、この日本は安心だと言わざるを得ない。

泉美　そうですね。スウェーデンにも救急外来はありますけど、でも、深夜に顎をはめてもらった説得力はハンパないです。

小林　それでも、日本だって今の医療体制が維持できるかどうかわからないじゃないの。それなのに、コロナのせいで病院を痛めつけて、経営が傾いているとか、めちゃくちゃだ。日本はどこにでもちゃんとお医者さんがいてくれるんだということを、大事に考えないと。

泉美　まったくです。少し大きな病院なら、受診したその日のうちにいろんな検査をしてくれたりもしますよね。私は20代の時に、突然ふらついて真っすぐ歩けなくなったことがあるんです。壁を伝いながらマンションのすぐ下の内科へ行ったら、そこのお医者さんが「すぐにこの病院へ行きなさい」と言って、近くの大きな病院の脳神経外科宛てに紹介状を書いて、タクシーに乗せてくれました。

　病院に到着したら、**MRI**[3]を撮りましょう、予約で2時間待つ間に別の検査をしましょうと言われて心電図なんかをとりました。3時間後には、私の脳の写真ができあがって異常がないこともわかり、じゃあ三半規管の病気かもしれないから耳鼻科の検査もやってみたほうがいいという感じで、原因を見つけるために、看護師さんに車いすを押してもらいながら、その日のうちにたくさんの検査を受けたんです。こういうことは、日本でないとできないことですよね。

小林　日本の医療制度の優れたところだよね。外国だったら、そうはいかない。

泉美　そうですね、だからがんの発見も早いんですよ。日本は肺がんの5年生存率が世界一なんですよね。手術のレベルも高い。唐沢寿明《からさわとしあき》版のドラマ『白い巨塔』（フジテレビ系・2003年）で、**財前五郎**《さいぜんごろう》[4]が、目をつむって開腹手術のイメージトレーニングをしているシーンが印象的で、私はいまだに覚えているんですけど、手術のために精神統一をして、徹底的にシミュレーションするというのも日本人医師特有なんですって。

3　**MRI**　核磁気共鳴画像法。強力な磁石でできた筒の中に入り、磁気の力を利用して体の臓器や血管を撮影する。X線を使うCTとは異なり、骨や空気による画像への悪影響がないため、頭蓋骨に囲まれた脳や脊髄などの診断に適する。

4　**財前五郎**　山崎豊子の小説『白い巨塔』に登場する架空の人物。上昇志向と権力欲が強いが、胃の縫合法である「財前式縫合」を考案するなど、医学者としては並々ならぬ情熱を持つキャラクター。

小林　なるほどね。日本人の医者がどれだけ執念深くてすごいかということだよね。まず、日本の制度はとってもいい、というところを認識するしかない。そして、絶対にこれを守ろうとみんなで考えなければいけないよ。

コロナのことにしたって、もっと医療者にお金を出してあげなさいよ、他の病院を救うためにいち早く指定感染症を外しなさいよとみんなが声を上げなければいけないよ。日本人は、病院や医療関係者に甘え切っているんだよね。

日本は世界一のCTスキャン大国

泉美　制度だけでなく、医療機器も日本は恵まれています。日本は、CT[5]スキャンやMRIの保有台数が世界一なんですよね（図19）。私がその日のうちに脳の写真を撮れたのもそのおかげで、海外ではそうはいきません。コロナ診療でも、このCTの豊富さが活かされて、日本の場合はCTで肺炎を確認していました。

小林　そうなんだよ。それをマスコミも専門家もよくわかっていないから、説明をしない。日本は、外国に比べてCTスキャンがものすごく行き渡っているから、まずはCTを見て、「肺炎の症状が出ている。この病原体は何だろう」という手順でPCR検査をやるというのが通常だったんだ。外国はそれがやれないから、PCR検査からスタートするしかない。この差を、岡田晴恵も玉川徹

5　CT　コンピュータ断層撮影法。X線を使って体の断面を撮影する。特に心臓、大動脈、気管支・肺などの胸部、肝臓、腎臓などの腹部の病変に関しては、優れた描出能が知られる。

コラム13　世界の医療事情

「高負担高医療」から「低負担低医療」までさまざま

医療制度は国によって違うが、主に、①お金さえあれば高度な医療が受けられる「高自己負担・高医療型」（アメリカ）、②高度な医療は期待できないが費用はほとんどかからない「低自己負担・低医療型」（イギリス、北欧諸国）、③一定レベルの医療がほどほどの費用で受けられる「中自己負担・中医療」型（日本、ドイツ、フランス）に分類される。

どの制度もその国の福祉政策、財政政策、高齢化率、人口構成など国ごとの要因の上に成立するもので、ある国で最適な制度が世界にあまねく最適だとは言い切れない。

夏には医者が4～6週間のバカンスに出かけるフランス、勤務医がストを起こすドイツ、自然な死が望まれ、老人への人工呼吸器装着は虐待とみなされるスウェーデンなど、各国の医療や死生観も違う。

がん術後生存率の高い日本の事情

日本は医療技術が高く、医療従事者の努力と献身が徹底しているといえる。日本の医師は労働時間が非常に長い。また、高度な医療機器の普及と手術水準の高さから、肺がんの術後5年生存率が世界一高い。胃・大腸など消化器のがん、乳がん、子宮頸がんの生存率もトップレベルだ。ただし、がんの発症部位は国ごとに違いがあり、治療研究の進度にも違いがある。日本をはじめとする東アジアは、胃がんがもともと多く、欧米には多くない。近年は、日本で大腸がんが急増しているが、背景には食生活の欧風化が指摘されている。

医療格差の激しいEU諸国

EU圏内は、医療格差が大きい。冷戦終結後、ヨーロッパにおいて有利な経済体制と軍事体制を得たドイツは「ひとり勝ち」となり、潤沢な医療を整えている。だが、イタリアやギリシャなど財政破綻の危機に直面していた国は、EUの財政規律で緊縮財政を強いられ、大量の医療機関を閉鎖し、医療従事者をリストラ。優秀な医学生は賃金の高い周辺国へ流出してしまい、コロナ以前からすでに医療崩壊寸前だった。さらに財政状態の悪いルーマニアは、医療基盤が崩壊しており、コロナ発生時には懲役刑や罰金付きの厳しい外出制限・入国制限令が出された。

もわかってないから、「PCR、PCR」と煽るんだよ。

泉美　日本は肺炎の治療の仕組み（**図20**）が、もともと優れている国だということも伝わっていないということですね。

小林　まったく伝わっていないよ。

泉美　医師が患者の状態を観察して、症状を聞いた結果、肺炎の疑いがあるということになれば、X線写真やCTを撮ります。それで肺炎が見つかって、病原体を突き止める必要があると判断すれば、検査をします。結核菌なのか、肺炎球菌なのか、コロナウイルスなのか、ちゃんと病原体がわからないと、治療方法も決められないですからね。そうやって、医療的な根拠を積み上げていくところに**診療報酬**[6]がつくというのが、日本の医療なんですよ。普通は、根拠もなくいきなり鼻の穴に綿棒を突っ込んだりはしません。

小林　そうなんだよね。

泉美　日本はキヤノンとかオリンパスとか、もともとカメラの会社が**内視鏡**[7]やCTスキャンなんかの医療機器を作っていて、ものすごく高性能なものを極めているんですよね。だけど、そういういいところにはまったく目を向けないで、例えば、「ドイツはICU病床がこんなにあるから素晴らしい。それに引き換え日本は……」とか、外国のいいところばっかり言っています。悲観的にもほどがありますよ。

小林　日本人は意識せずに相当高度な医療を行っている。そのこと自体を日本人は知らないんだな。そして、

6　**診療報酬**　保険医療機関および保険薬局が、保険医療サービスに対する対価として保険者から受け取る報酬。

7　**内視鏡**　先端にカメラのついた細い柔軟なチューブ状の医療機器。「胃カメラ」「大腸カメラ」など。ちなみに、世界初の実用的な胃カメラを開発したのは日本のオリンパス。現在も消化器内視鏡においてはオリンパスが世界シェア70％を誇る。

人口100万人あたりのCTスキャン保有台数

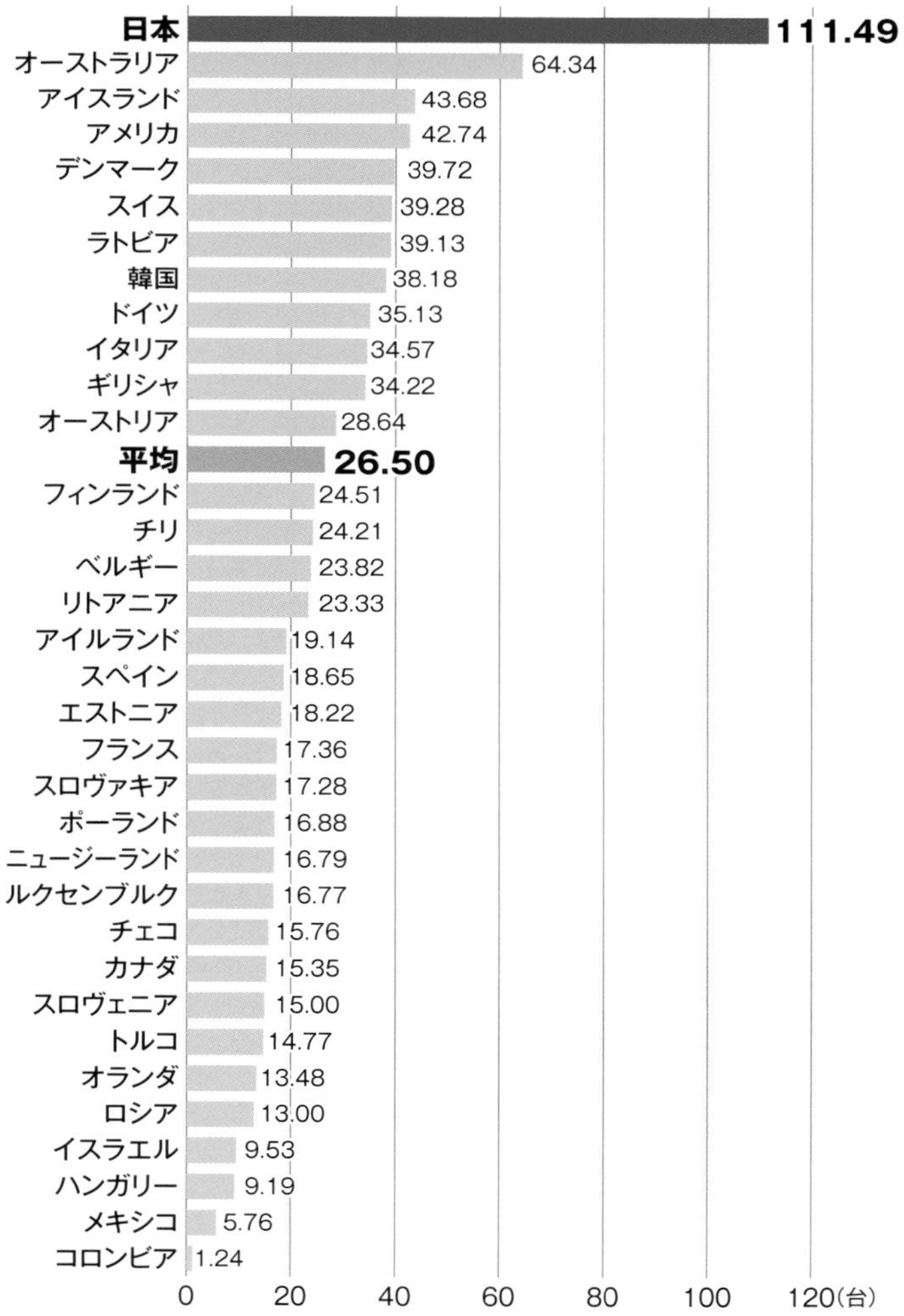

データ参照元／「OECD Health Statistics 2020」　※データは2017年のもの

図19

肺炎治療の流れ

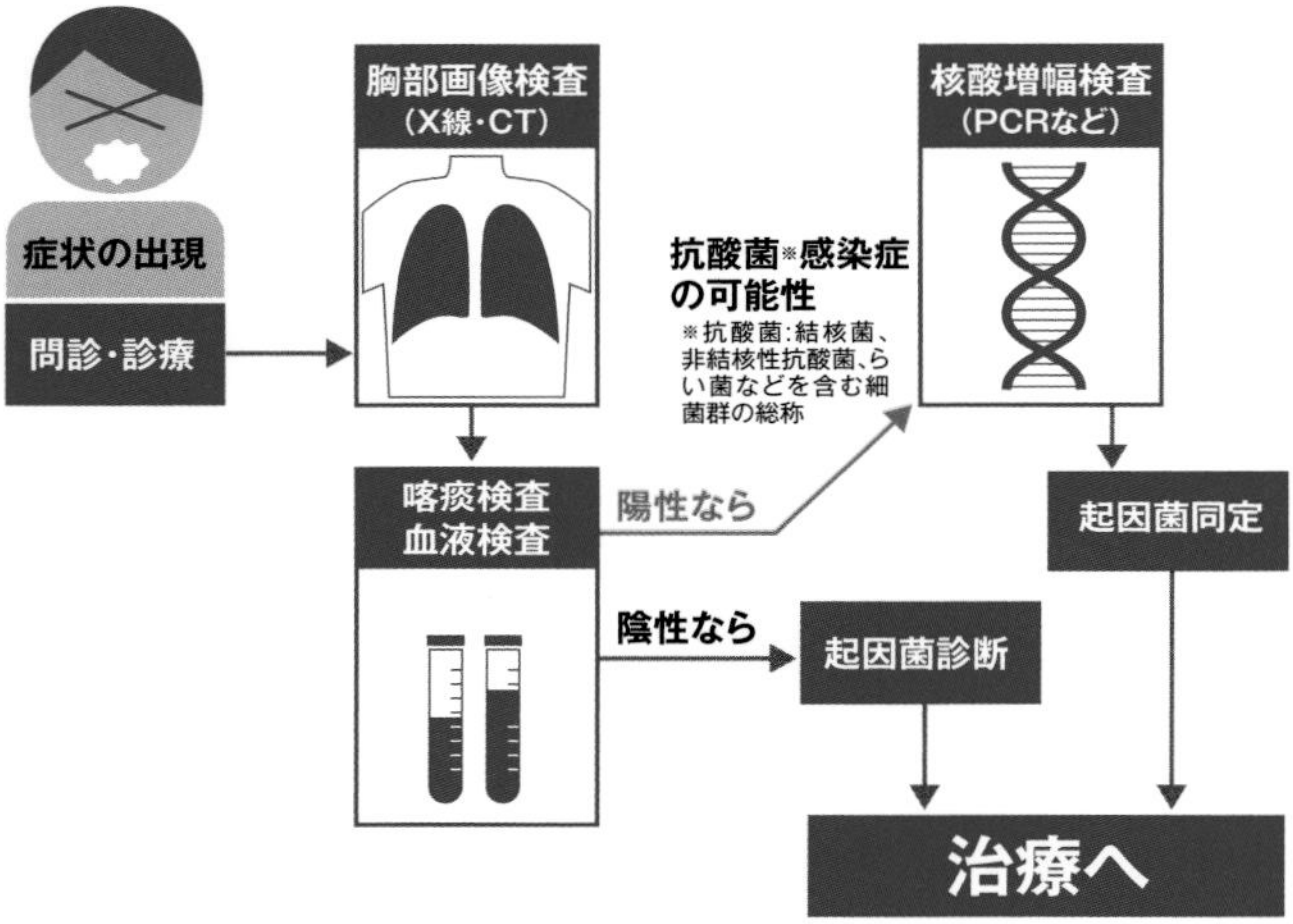

データ参照元／日本臨床検査医学会「臨床検査のガイドライン JSLM2015」

図20

ＰＣＲ検査数が少ないことを、一番野蛮な治療を行っているかのように思い込んでいるんだ。

　そして、外国で医者や感染症対策をやっている専門家、これがまたペテンで、日本のテレビ番組に現れて、「日本は遅れています」「２週間後、ニューヨークみたいになりますよ」と言うわけだ。そういう日本人ばかり見つけてきて、発言させるんだよ。実際には、日本のほうがはるかに進んでいるのに、「日本は俺の暮らしているこの外国よりも遅れている」と思っている。

泉美　一方で、日本に住んでいる日本人のほうは、そうやって外国から日本を見下す日本人のことを、「外国で働いていらっしゃるあの素晴らしい専門家さまが、こうおっしゃっておられる」みたいな感じで崇《あが》めている感覚もあるんじゃないかなと思います。

小林　あるね。外国で働いている医師のほうが、日本で働いている医師よりも優れているかのように、みんな思い込んでいるんだよ。外国のほうが優れていて上品よ、と。

泉美　自虐的ですよね。日本にいて、日本の現場を知っている人のほうが、よくわかってくれているんじゃないかと私は思うんですけどね。
だけど、コロナ以前は、日本に来た外国人をインタビューしたり、日本の技術に触れさせたりして「日本はスゴイ、素晴らしい」と感動させるという番組をじゃんじゃんやっていたじゃないですか。それが、どうして？

小林　そうだねえ。恐怖がすべてを狂わせた。オウム真理教がそうだったからね。コロナでは、日本全体が、ろくでもない専門家によって「地獄に行くぞ、地獄に行くぞ」と**サティアン**[8]の中で恐怖に洗脳された状態だな。

日本人は外国人みたいにハグしない

泉美　重症化して死亡する人が少なかったことを、患者の側、国民の側から掘り下げてみても大きな違いが見えますよね。国民性や文化も、外国とはずいぶん違います。

小林　そうなんだよ。バカな専門家は「何もしなければ42万人死ぬ」と言うけれども、まず、日本人はハグもキスもそんなに気安くしないんだよ。それだけでもすでにウイルスを防御することになっているじゃないか。
ヨーロッパのほうは、サッカーの試合の後にものすごくはしゃぎまくって、ガンガンいろんな人と

8　**サティアン**　かつて「地下鉄サリン事件」を起こしたオウム真理教の教団施設の名称。山梨県西八代郡上九一色村《かみくいしきむら》（後に甲府市と南都留郡富士河口湖町に編入）を中心として、最盛期には30棟以上が点在し、内部にはサリンプラントがあった。

ハグしてキスしてすごい状態になるじゃん。日本人の感情の出し方とは違うんだよ。

泉美　日本人は、あまり人の体に触れるということが文化の中にないですね。握手なんかも、実は日本の文化じゃないですよね？

小林　そうだよ。昔、わしが福岡から東京にやってきてすぐの頃、ミュージシャンの仲間と交際が始まったんだが、彼らは握手するんだよ。それを見て、ゾゾッとしたのね。外国人ミュージシャンにかぶれてるなあという感じがしたんだ。日本人として、九州男児として。

泉美　あははは。たしかに、九州男児は握手するイメージがない（笑）。ふんぞり返って、お互いを牽制しつつも、認め合ってる感じが、九州の男どうしかも。

小林　そうなんよ。だから、「うわあ、カブれてる〜！」と思ったもんね。何か不思議な感じがした。わしは、ハグされたことも、これまでなかった。ところが先日、あるレストランに行ったら、そこのシェフがわしにハグを求めてきたのよ。ガシーッと。ゾッとしたね。「何これ。わし、男に抱かれてしまった」みたいな（笑）。

泉美　そうか……ついに小林先生が、ハグ童貞を失ってしまったんですね。

小林　わし、66歳にして、初めて男にハグされた。ショック。それほど、濃厚接触は違和感があることなんだよ。だから、「何もしなければ」と言うけれども、そういう「ハグとか濃厚接触を基本的にしない」ということだけでも、すでに外国よりも十分な感染予防対策をしているわけだ。

日本は世界で一番清潔な国

泉美　清潔観念も違いますね。日本は、靴のまま家に上がりませんし、毎日お風呂に入ってゴシゴシ洗います。『コロナ論』に先生が描かれているのを読んでびっくりしましたけど、フランス人はトイレに入っても手を洗わないんですね。食器の洗い方も日本人と欧米人とは違っていて、欧米人は泡を落とさなかったり、シンクにためた水にジャブジャブぐらせて乾かすというのも、すごいなと思いました。

小林　そうそう、きれいに落とさない。

泉美　日本の洗剤は、「泡で汚れを落とします」というふうに宣伝されているし、私の感覚では、泡こそが一番汚れていて、きっちりと洗い落とさなければならないものなんですよ。それに、ためた水につけるのは、カチカチになったごはん粒をふやかすような時だけで、洗い流す時は、水道の蛇口から流れ出てきた一番きれいな水を使うというのが普通です。

小林　そうなんよ。清潔の観念がまったく違うから。日本は家庭用ウォシュレットを発明するほどの国なんだからね。だから、外国人に「コロナ後に、どこの国に行きたいか」と聞くと、「**日本に行きたい**[9]」が一番だった。理由は、清潔だからだよ。

それほどのものなわけですよ、日本人の清潔感は。だから、いくら専門家が「何もしなければ」と言っても、「いや、もう十分していますから」という話になるわけね。

泉美　そうですね。

小林　過剰すぎるんだよ。それで、何かしなければいけないとなって、今度は、どこもかしこもすべて消毒だということになる。手の細菌を落としすぎていたら、大変なことになるよ。

9　「**日本に行きたい**」　2020年6月、インターネットを通じてアジア・欧米豪12地域の海外旅行経験者6千266人に行った意向調査によると、新型コロナ終息後の海外旅行先として、アジア居住者の56％が「日本」、欧米豪居住者でも24％が「日本」と答えた。理由は「衛生面における配慮、清潔さ、消毒などのウイルス対策全般の継続」がトップだった。

泉美　人間には、常在菌という味方がいますからね。先日、お蕎麦屋さんに行ったら、入口でまずアルコール消毒してくださいと言われたんですよね。そして、テーブルに着くと、今度は店員さんから、あたためたタオル地のおしぼりを手渡され、そのおしぼりで、アルコールを拭きとるという。これって、どういう意味があったの？　どっちが清潔なの？　みたいな。

百貨店に行った時は、各ブティックごとに、アルコール消毒をやらなければいけないのでギョッとしました。いろんなブティックに入って、見比べたいと思っても、いちいちアルコール消毒されるから手がガサガサになってしまいます。

小林　うん。やりすぎなわけよ。日本人には「何もしないほうがいい」と言わなければいけないぐらいのものになってしまっている。

泉美　逆に免疫力を落としてしまいますよね。

日本は土葬しないし、ゾンビもいない

泉美　「東京は2週間後にニューヨークになる」と言われていた頃、ニューヨークでは病院の待合室でどんどん人が死んでいって、野戦病院状態になっていて、遺体の搬送が間に合わなくなってしまい、冷凍トラックに積み込んでいるという状態になっていました。ああいうことになるというなら、日本でも街の空気がもっと張りつめていないとおかしいし、もうすでに病院から患者があふれかえっていないとおかしいよなと何度も思ったんですよね。

小林　うん。そして、ここにもまた盲点があるんだよ。欧米では、土に穴を掘って、棺をバーッと並べて埋めているという光景をテレビで映していたでしょ。でも、あれは土葬だからね。欧米特有の光景なんだよ。

泉美　ああ、そうか。日本は火葬ですね。

小林　そう。ほとんどが火葬。そうしたら、ああいう光景は見られないよ。日本では、穴を掘って、遺体をずらっと並べたりはしない。全部火葬して、遺骨を墓に埋めるわけだからね。「コロナでこれほどの人が亡くなりました」と言いながら、お墓を映してごらんよ。墓石が並んでいるだけで、たいしてショックを受けないよ。

泉美　しかも、その全部が「○○家之墓」と書いてあって、誰か個人の姿をパッと思い浮かべる感じもないですしね。もともと自分の家の墓は見慣れていたりもします。

小林　そうそう。ニューヨークでは、そこらの空き地を掘り散らかして、バンバン棺を埋めている。だから、ゾンビが出てくるわけね（笑）。

泉美　たしかに。日本は、**火の玉**[10]ですからね。

小林　そう。肉体が燃えているからね。向こうは、肉体がそのまま埋まっているから、腐乱して、ゾンビ映画が成立するわけ。そこがまず違う。それなのに、いつの間にか、日本も土葬だったかのように思い込まされて、怖くなってしまうんだよ。だから、ああいう光景を映像として映す時のその感覚もまた、国によって違うということに気づかなければならない。

泉美　なるほど。たしかに、遺骨と遺体とでは受ける印象が違いますものね。これはトリックですね。

小林　すべての観念が、国ごとに違うということを、まず教えなければならないという状態になったよね。そこがわかっていないから、専門家までが「世界共通のことが起きるはずだ」と思い込んでしまう始末だ。

10　**火の玉**　心霊現象の類いで、人魂、狐火、鬼火。人が亡くなったあと、魂が体から離れて飛んでいるものとする説が多い。

コラム14　日本人の清潔感

玄関で靴を脱ぎ、畳の上に寝ころぶ文化、毎日入浴する文化など、文化は衛生観念に多大な影響を及ぼしている。

1856年に来日したアメリカの総領事・ハリスは「世界のあらゆる国で貧乏にいつも付き物になっている不潔さというものが、少しも見られない」、1865年に来日したドイツの考古学者・シュリーマンは「日本人が世界でいちばん清潔な国民であることは異論の余地がない」と日本人の清潔観念について記している。

◉『ゴーマニズム宣言SPECIAL　コロナ論』（小林よしのり／扶桑社）第10章「お辞儀と清潔感の驚異」より抜粋

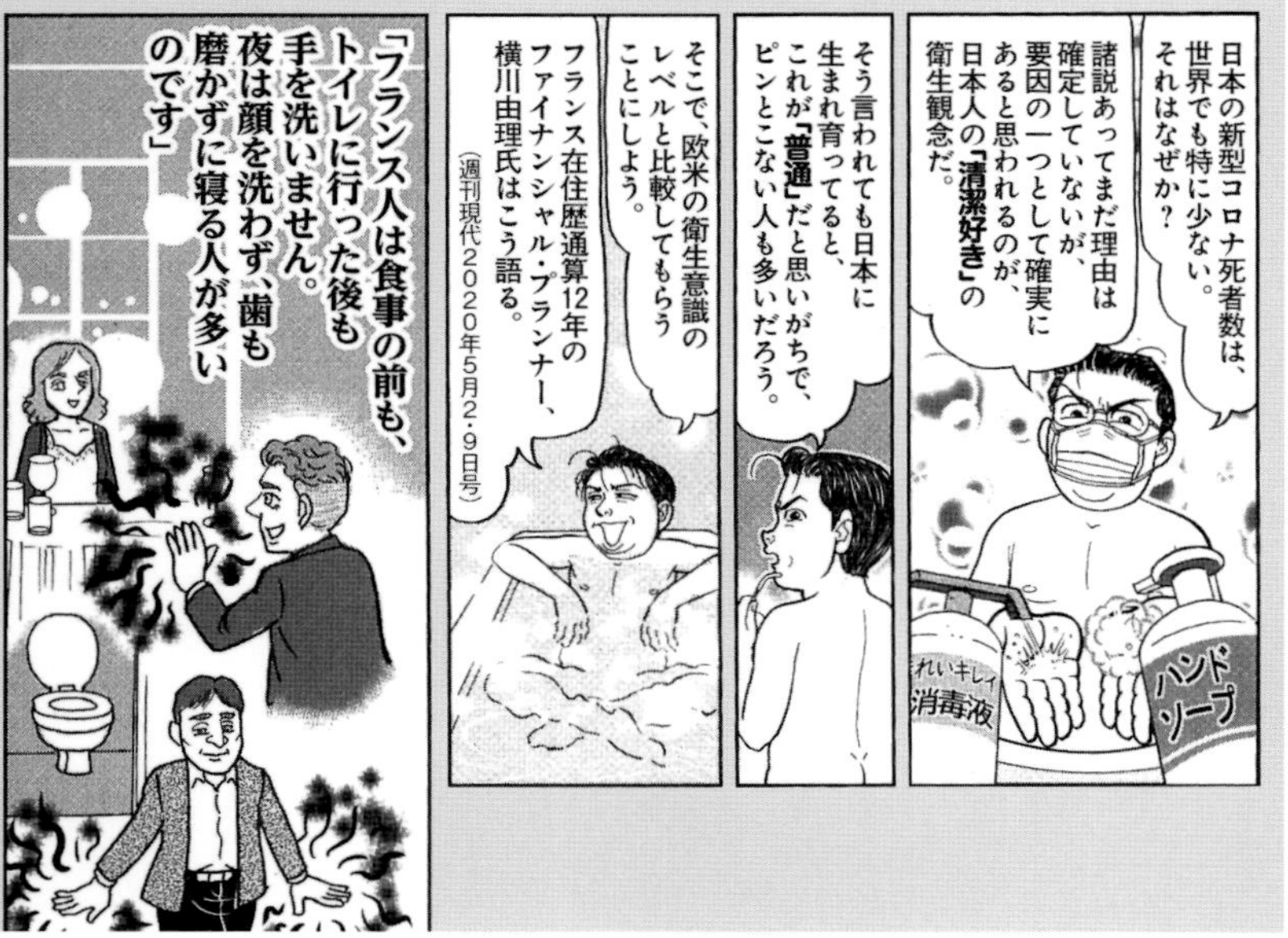
日本の新型コロナ死者数は、世界でも特に少ない。それはなぜか？
諸説あってまだ理由は確定していないが、要因の一つとして確実にあると思われるのが、日本人の「清潔好き」の衛生観念だ。
ハンドソープ
れいキレイ
消毒液
そう言われても日本に生まれ育ってると、これが「普通」だと思いがちで、ピンとこない人も多いだろう。
そこで、欧米の衛生意識のレベルと比較してもらうことにしよう。
フランス在住歴通算12年のファイナンシャル・プランナー、横川由理氏はこう語る。
（週刊現代2020年5月2・9日号）
「フランス人は食事の前も、トイレに行った後も手を洗いません。夜は顔を洗わず、歯も磨かずに寝る人が多いのです」

「日本のような熱いお風呂はないし、シャワーも週2～3回程度です。同じ服を1週間着まわす人もよくいます」

「パンは直接テーブルに置くか、布ナプキンに乗せます。そのナプキンで口を拭き、そこから感染が広がる可能性も高い」

また、英仏翻訳者のオティエ由美子氏は著書『イギリス、日本、フランス、アメリカ、全部住んでみた私の結論。日本が一番暮らしやすい国でした』（リンダブックス2014年）にこう記す。

「イギリス人の一般的な皿洗い法は、シンクにお湯をためて洗剤を入れ、その中に食器を沈めて汚れをスポンジで拭い取ったら、泡をピュッピュッと切って（ゆすがずに）水切りかごに置く、というやり方です」

「（アメリカ人やフランス人は）一つのシンクに湯を張り、洗剤を入れて洗った後、もう一つのシンクに張ったゆすぎ用のお湯で皿をジャブジャブに泳がせてから（水で洗い流さずに）水切りかごにあげるのだそうです」

「シンクが一つしかない場合は、洗剤の中から皿をあげた後、ちょろちょろと細く出した蛇口の水をくぐらせます。しかしものの数秒くぐらせたらすすぎ終了なので、食器の縁や裏にかなりの泡が残ってしまう。どちらにしろ、日本人の求めるすすぎ基準とは程遠い結果です」

「米英仏では、食器のみならず人間も、泡風呂に入った後は水を流さず、そのままタオルで拭いてしまうのが一般的です。…赤ちゃんの入浴さえ、浴槽に水を溜め、ベビー用せっけんを入れてジャブジャブ洗ったら、泡がついたままの体をタオルで拭いて終わり、というやり方が珍しくありません」

国や地域によって人体も遺伝子も違う

泉美　日本人特有の「ファクターX」があって、死者数が抑えられていると言われますけど、国も違う、食生活も違う、栄養状態も違う。いろいろ要因はありますが、私は、地理的要因もかなり大きいんじゃないかと思っているんです。中国から発生したウイルスであれば、実は、アジア圏の国々の人はもともと対応する免疫力が高かったんじゃないかなと。だって、太古の昔から朝貢外交をやったりして、中国大陸とは交流があったわけですよね。

小林　そうなんだよ。

泉美　先生が最初に、去年インフルエンザがあまり流行しなかったのは、毎年のように繰り返し流行しているうちに、集団免疫ができあがってきたんじゃないかとおっしゃいましたよね。そこから考えると、もっとずっと長い歴史の中で、日本やアジア圏の国々は、中国大陸から発生したウイルスに数えきれないほど晒されてきていて、本質的に鍛えられている部分があるんじゃないか？　そう考えてもいいと思うんです。

小林　そうだね。

泉美　それで、ウイルスと遺伝子の関係について調べてみたんですが、ある特定の地域の白人の中には、HIVウイルスに感染しても、増殖せず、エイズを発症しない体を持つ人々がいるそうなんです。調べてみると、どうやら人体のほうに遺伝子変異が起きているんですって。かつて流行した天然痘やペストの影響ではないかとか、諸説あって、研究されているそうです。

小林　なるほど。

泉美　インフルエンザだけを眺めてみても、例えば、１９１８年のスペイン風邪が流行した時に生まれていた人は、２００９年に新型インフルエンザが発生した時に、すでにその新型の抗体を持っていたという報告もあります。ウイルスと出会って感染することによって、人体もまた進化しているともいえるんじゃないでしょうか。

コロナに感染してはいけないとか、ウイルスは常に変異しているとかいって、逃げ回ることばかり考えているのは、実は人間として逆行していることかもしれないです。

小林　そうだね。

泉美　人間がすべて単一で、アメリカ人もイタリア人も日本人も同じようになると思い込むことがそもそもおかしいですよね。同じ人類でも、人種がいろいろあるから生き残ってきている部分があるわけで。すべてが同じだったら、これまでにひとつのウイルスで全滅しているはずですよ。

小林　全滅するということはないよね。だってそうなると、ウイルスも全滅するからね。

泉美　ちょっと前まで「多様性の時代です」なんてことを、みんなよく使っていたけど、実際には、すべて単一で同じ反応が起きるとしか思っていなくて、まったく多様性を認めていなかったんじゃないかと思うんですよね。

小林　認めていないよ。本当に、そこがまったくわかっていないね。犬もいっぱい種類があるからいろいろいる。人類も一緒ですよ。

泉美　数年前に、バナナが絶滅するというニュースがあったんですよ。新パナマ病というバナナの病気があって、感染した農園ではバナナが全滅してしまうんです。なんで全滅するかというと、栽培と販売の効率を良くするために、単一の品種を株分けして栽培していたんですね。だから、バナナ農園には多様性がなくて、一発で全滅。不自然なものを作るとダメなんですよね。人間も、みんな同じく単一だったらアウトですよ。

小林 そうだねえ。単一の人間なんてまったく自然じゃないし、まったくウイルスに感染しない人間なんてものを育てたら、ものすごく弱いものになってしまう。免疫が育たないんだからね。

「あなたは、どの専門家を信じますか?」

泉美 違いがいくらでもあるのに、よりにもよって専門家がそのことをわかっていなくて、「日本もミラノやニューヨークになってしまう」と言い出すことになったわけですね。

小林 そうだね。違いを一切考えられない。単に「地球市民」と思っているわけだよね。この世には「地球市民」という一種類の人間しかいないというのが今の日本人の感覚だし、特に専門家がそうなんだよ。

泉美 ハーバード大学の論文とか、インペリアル・カレッジ・ロンドンの論文とか、何か世界的で代表的なものが、どの国にも等しく当てはまると最初から思い込んでいるところがありますね。

小林 うん。専門家ってそうなんだよ。権威を持っているところが、感染症における最先端だと思い込んでいるんだ。だから、そういう論文や研究を鵜呑みにしてむちゃくちゃになってしまうんだよね。

そもそも、「専門家」とはどんな人のことだと想像しているの? 専門家の誰のことなら信じるわけ? 岡田晴恵なら信じるわけ? 「42万人」の西浦? 医師会の尾崎? それがわからない。専門家とひとえにいっても、考え方の違う人がいろいろいるんだよ。その中の一体誰を信じるのかね。

泉美 そうですね。テレビに登場する専門家は、「呼吸器内科がご専門の○○医師」とか「公衆衛生学がご専門の○○教授」という肩書のみで重宝されているような気がします。

小林 そういう肩書なら、他にももっと我々が信用しているような専門家がいるんだよ。ところが、コロナ脳になってしまうと、そういった専門家の話はまったく信じようとしない。なんで信じないわけ？

泉美　そこが変ですよね。自分が知っている専門家とは違う意見を言っている専門家がいる。ところが、コロナ脳になってしまった人は、私や小林先生から見れば、正しいことを言っていると思える専門家に向かって、「いや、あなたはそうは言いますけど違うんですよ！」と噛みついたりするんですよ。

小林　結局は、「恐怖を訴える専門家だけを信じる」ということになるわけでしょう？　要するに、専門家として注目を浴びるには、恐怖を訴えさえすればいいわけだ。テレビ局は、最初から恐怖を訴える人しか出さない。「コロナはそんなに怖がるようなものでもない」と訴える専門家だっているんだよ。でも、それは必要とされない。

泉美　そうですね。最初から「これは普段の風邪と同じウイルスになるだろう」と見抜いていたお医者さんは何人もいましたが、そういった方の意見は、自分で一生懸命探さないと見つけられません。もちろん、テレビではほとんど流れませんよね。

小林　テレビも結局、どの医者を出そうか、どの学者を出そうかということを最初に考えて依頼しているからね。その中で、不安を煽る人、ＰＣＲ検査拡大に賛成している人を見つけてくるわけだ。だからここには、「あなたは、どの専門家を信じますか」という大きな問いがあるわけ。

だから、我々は、専門家を一切否定しているわけではないんだよ。ただ、テレビに出てくる専門家は問題なんじゃないかということなわけね。そして、専門家委員会や分科会なんかに現れる専門家もまた、疑惑のある人物がいっぱいいますけど、どうなんですかということを言いたいわけだね。それは自分で判断するしかないんだよ。どの人の言うことが正しいと思えるかという自分の思考を、放棄してしまうわけにはいかない。

泉美　まったくその通りですね。

小林　結局は、自分なんだよ。そうしたら、「お前たちは専門家じゃないから言うな」というのはまったく意味がないということになる。「専門家の言うことも間違ってるのよ、あなた」という話なんだ。

泉美　専門家といわれる人の話を聞いてつくづく思ったのは、その人がウイルスの世界にのめり込んで研究してきた人だとしても、何のためにその研究をしていたのか、というところに問題がある人がいるんだなということです。

ウイルスが好きで好きで、それだけを考えている人もいて、それはそれでいつか新しい発見があると思いますけど、自分の研究を、現実の社会に対して実際にどうやって役立たせるのかという視野で社会のことも見て知っていないと、何かすごくグラグラした人になってしまうんじゃないでしょうか。そして、そういう人ばかりがテレビに誘われて、堂々と変な意見を言い出しているようにも思えます。

小林　そうそう。専門家に類する言葉として、よく岡田晴恵が言うのは「サイエンス」。「私は、サイエンスだけを言うべきです。政治のことは言ってはならないのです」と。彼女はこれをひとつの言い訳としてよく言うんだよ。でもね、そのサイエンス、つまり、科学者というのもまたそれぞれ違うんだよ。あなただけが科学者じゃないでしょう、ということになるわけだ。

そして、1人の専門家の意見でも、「人」で判断するのではなく、いろんな科学者や専門家がいるなかで、この人のここの部分は信用できるな、だが、この部分はちょっと怪しいぞというふうに、わしは判断している。

泉美　そこはすごく大事な考え方ですよね。例えば、「自粛政策はダメだ」と言っている専門家のなかでも、「マスクは絶対にするべきだ」と言う人もいれば、「経済を回したほうがいいが、夜の街は営業規制するべきだ」と言う人もいます。これじゃ私は賛成できません。そして、「マスクには意味がない」と言っている専門家でも、「飲み会はやめたほうがいい」「ファクターXなんか存在しない」といろいろ分かれていきますよね。

自分の気に入ることをいくつか言っているからといって、その人の発言すべてが正しいものだろうと盲信してしまうと、危険だと思いますね。

小林　そうだね。そこのところも、自分が考えて自分が判断するしかないからね。だって、自分が生き抜かなければならない、自分が人生の楽しみを追求しなければいけないんだから。すべては、自分のことだ。

専門家というものを無防備に信用していいのかどうかということを、国民が自分で考えなければならない。また同じことが起きたらどうする？　誰を信じる？　何の専門家？　大学教授？　ノーベル賞学者？　政治家？　何を根拠に信じる？

つまり、そんなに簡単に自分の命を託していいんですか、ということだよ。

ニューヨークの「自己隔離」と人権侵害に抵抗しない日本人

泉美　私は、法律の専門家からも、もっとコロナ対策の問題を指摘してほしいと思います。休業要請なんてやってよかったのか、無症状者の隔離なんてやってよかったのか、問題だらけです。玉川徹が、武漢を参考にして住民全員ＰＣＲ検査を目指せと言っていたのも、実現しようとしても法的に問題がありすぎると思うんですけど。

小林　玉川は、武漢が素晴らしい、日本はダメだと思い込んでいるからな。では、本当に武漢みたいになったらどうするんだ。徹底的な国家主義にならなければいけないし、国民を管理しなければならないんだよ。

泉美　中国には、人権という観念がないからあんなことがやれるわけですからね。

小林　そう。人権がないから、隔離は当たり前だという話になる。

泉美　しかも、隔離というのも、実は国によって内容が違うんですよね。例えばニューヨークは、「検査・追跡・隔離で感染を抑えた」と言われていますけど、あれは施設に閉じ込めるのではなくて、「自己隔離」とされているんですよ。つまり、自宅療養のことなんですね。

小林　そう。玉川はそれも知らないんだよ。『モーニングショー』のコメンテーターもスタッフも全員が知らないから、どこかの施設に閉じ込めて隔離していると思い込んでいるんだよね。

泉美　そもそも、ニューヨークのことをもっと指摘しておくと、「検査・追跡・隔離」のおかげで収束したというのはウソだと思いますよ。3月からの感染者の推移を見れば、4月初旬の時点でとっくにピークアウトしていますよ。**クオモ州知事**[11]が、4月19日に「感染はピークアウトした」と記者会見で発言していますし、検査を急増させたのは、その後の5月下旬頃からなんです（**図21**）。その頃には、すでに感染者数は減少していて、検査で収束したわけではありません。

抗体保有率も、4月27日の時点でニューヨーク市内で24.7％と発表されていました。スウェーデンは、抗体保有率20％程度で収束していましたから、結局、集団免疫なんですよ。ここを隠していますし、クオモ州知事が、自分の手柄にしたいだけなんじゃないかと私は疑っているんですよね。

小林　そうだよね。なおかつ、ニューヨークは、陽性が出て自宅療養になる時に、全員にマスクなんかが入っている医療キットの箱を渡されるんだ。さらに、職員が犬の散歩までしてくれる。

泉美　へえ！　すごいサービスですね。

小林　そして、食料なんかも職員が買ってきてくれるのよ。

泉美　ええ！　そんなこともしてくれるんですか。その上、日本のように1回だけ10万円の特別定額給付金を配ってみるという補償じゃなくて、失業保険に特別給付金がくっついて、毎月40万円ぐらいのお金をもらっていたんですよね。

小林　そう。「療養」だから、もう至れり尽くせりなのよ（**図22**）。

泉美　それだったら、ちょっと感染したいって思っちゃう（笑）。

小林　わははは。基本的には人権侵害になってしまうから、徹底的にお客様扱いして、「療養してもらっている」という状態にしているんだよね。では、それと同じことを日本でやったらどうなりますか、ということなんだよ。

泉美　とんでもなくお金がかかって、無理だと思います……。アメリカってそういう人権意識は本当に強いんですね。過去に、西アフリカでエボラ出血熱の患者の治療にあたってアメリカに帰国した医師や看護師も、自宅療養で済んだ例があるんですよ。

小林　ほお。

泉美　西アフリカから帰国した看護師の女性は、空港で39度の高熱を出していたため「感染疑い」として扱われ、エボラ患者と接触もしていたことから、ルールに則りそのまま21日間強制隔離となったんです。日本人なら、ここで観念しそうですけど、この女性は憤慨して、こんな非人道的扱いは、後続便で帰国する医師たちにも失礼だと言って、強制隔離を自宅隔離に切り替えさせて、家に帰ったんですよ。
　それで、マスコミに家の周りを囲まれながら自宅療養することになったんですけど、それでも、自分は元気だから自由に行動していいはずだということを主張して、彼氏とサイクリングに出かけたりするんですね。そして、自宅隔離措置について州を提訴して、勝利したんです。アメリカではかなり騒ぎになったんですって。

11　**クオモ州知事**　アンドリュー・マーク・クオモ。１９５７年生まれ。アメリカの政治家、弁護士。２０１１年より第56代ニューヨーク州知事を務める。

ニューヨーク市の新型コロナ検査数と陽性者数の推移

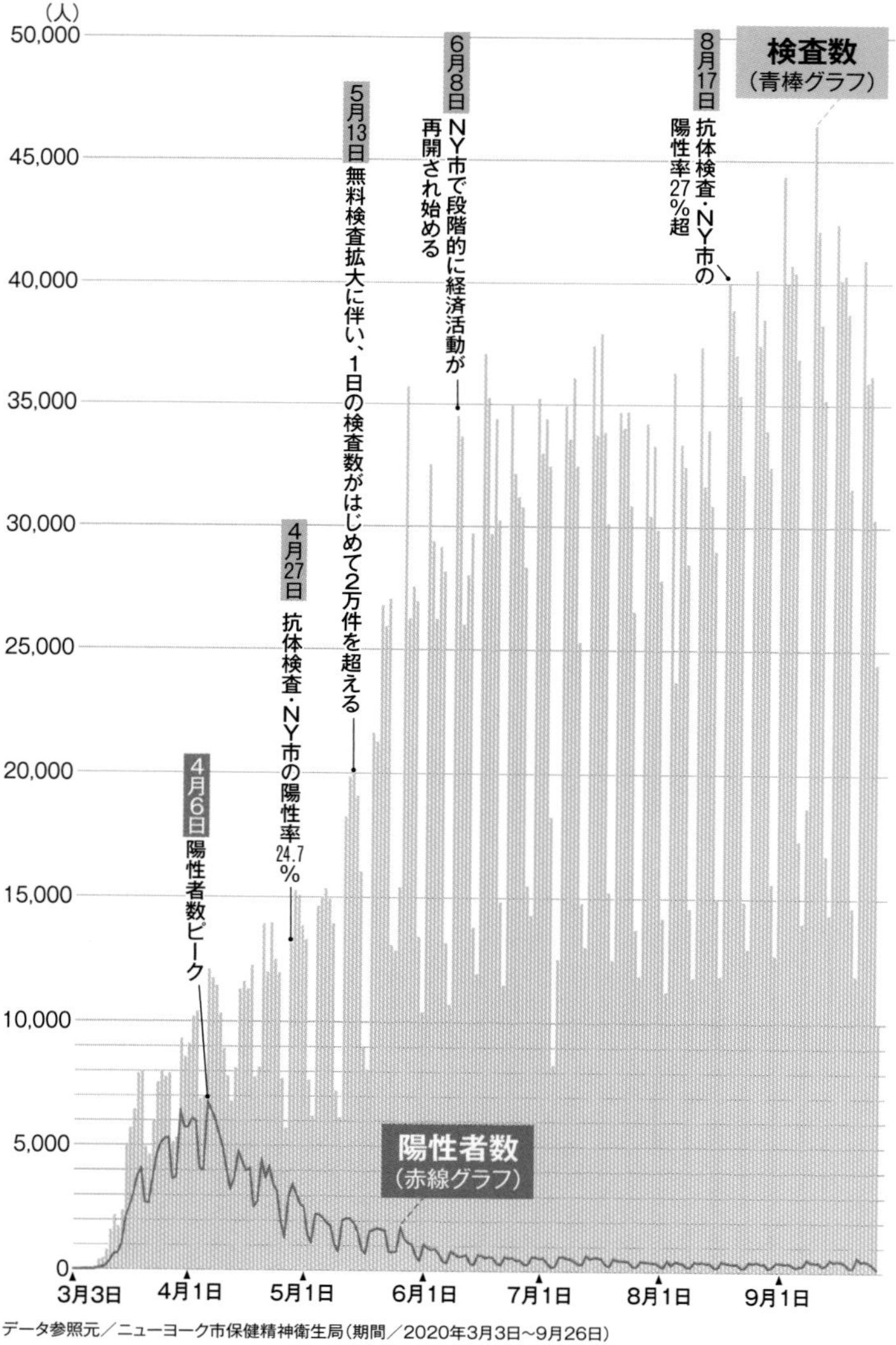

データ参照元／ニューヨーク市保健精神衛生局（期間／2020年3月3日〜9月26日）

図21

小林　ほお。だが、そうなんだよ。人権侵害されて、無理やり隔離された場合は、裁判闘争になるんだよ。それは、自分たちの自由の権利を意識的に持っているから、「何で隔離するんだ、犯罪者でもないのに」という意識がきちんとあるんだね。だけど、日本人はそれがないんだよ。

泉美　ないですね。感染者だと言われたら、素直に言うことを聞いてしまうし、世間に向かってお詫びまでしてしまいます。

小林　完全に人権侵害されたのに、そのことに気づきもしないような、法治国家の国民という観念がない。だから、そういうものを無視してしまうんだ。どんなに人権侵害されても、何も文句を言わない国民というのがいるわけだから、変わっているなあと思うよね。

泉美　何で抵抗しないのかと思いますけどね。怒ったっていいわけですよ。「2週間ホテルにいろ」と言われたら、普通は困ります。仕事や家庭生活はどうするんですか。予定もすべてキャンセルですか。

小林　そうだよ。

泉美　食事も、冷えた弁当をロビーに置かれて、自分の部屋に持ち込んで食べなければいけないんですよね。

小林　そう。わしは、そういう栄養の摂取の仕方は無理だから、もう体調が狂うね。ウーバーイーツで2回ぐらい配達を頼んだけど、美味くなかった。やっぱり店で食ったほうがいい。冷えた弁当なんてますますまずいよ。

泉美　しかも、感染しているけど大した症状ではなかったり、そもそも症状がないから、「医者の治療は受けさせないけど、ホテルにいろ」ということなんでしょ。治療を受けていないんだから、「患者」でもなんでもないんですよ。はっきり言ってただの監禁、虐待です。

小林　その通りだよ。基本的人権の無視、憲法違反だ。

東京とニューヨークでの新型コロナ対策の違い

		東京都	ニューヨーク市
感染者への対応	隔離	軽症者、無症状者は、原則として都が用意した施設で宿泊療養をおこなう ※介護や育児などの事情で宿泊療養できない人、宿泊療養を望まない人は自宅療養をおこなう	入院しない場合は、原則として自己隔離(自宅待機)をする ※市が、隔離スペースとしてホテルを無料で紹介する「COVID-19 Hotel Program」という施策もある。対象者は、最大14日間、ホテルで自己隔離が可能。感染者、もしくは感染者の同居者もプログラムを利用することができる
	隔離期間終了の目安	発症日から10日間経過かつ、軽快から72時間後以降	・発症から最低10日間経過 ・解熱鎮痛薬不使用で24時間発熱がない ・全体的な症状が改善
	外出	入所後は、退所まで外出できず、食事の受取り以外は部屋で過ごす	通院や必需品の買い物などには、対策をしたうえで外出をするよう呼びかけられている
	その他	施設内での喫煙・飲酒は厳禁	
休業補償		通常の失業保険の条件等が、新型コロナを理由にした失業の場合には一部緩和されている。また、生活費用の貸付制度などがある 例 **特別定額給付金** 国民1人につき1回、10万円を給付 **持続化給付金** 昨年から売上の減少した事業主に対して、最大で法人200万円、個人100万円を支給 **緊急小口資金** 必要とする世帯に、20万円を上限として貸付をおこなう	通常の失業保険に加えて、アメリカ国内で新型コロナに関連した複数の失業援助が提供されている 例 **連邦パンデミック失業補償** (FPUC:Federal Pandemic Unemployment Compensation) 収入・地域に関わらず、連邦政府が失業者に対し「毎週600ドル(約6万3千円)」を給付。4月から開始され、7月26日に終了した **LWA**:Lost Wages Assistance 新型コロナによる失業者に対し、失業保険に追加して「週300ドル(約3万2千円)」を補助。8月から9月にかけての6週に適用され、9月下旬に手続き不要で支払いがおこなわれた

図22

憲法より、真実より、イデオロギーが好きな日本人

小林　例えば、スウェーデンなんかは、まず、スウェーデンの憲法で「**移動の自由**」[12]が保障されているから都市封鎖はできないというわけだ。憲法にこうあるから、というのはめちゃくちゃ健全で、100%の正論だよ。そこがすべての根本なんだから。あのう、実は、憲法って、日本にもあるんですけどね。

泉美　そうですね（笑）。日本国憲法というやつがあります。

小林　でも、日本は不思議なことに憲法は無視なんだよ。しかも、スウェーデンは、子どもの教育の機会を奪うわけにはいかないという。これも正当な話で、子どもに教育を受けさせない国なんて、あり得ないんだ。そして、それが憲法に結実している。だから、日本は一体どうなってるんだと思うんだよ。まず憲法違反してるんだから。

泉美　憲法を踏み倒しているという点については、リベラルの人たちはなんにも言いませんでしたね。

小林　言わないね。ステイホームして家の中にいろ、そして、無症状を隔離しろと。これは、行ったり来たりの自由、移動の自由が奪われるということでしょ。刑務所に入れと言っているのとおんなじだ。自由をすべて奪っていたら、もう国家の体をなさないんだよ。外出を自粛しろ、営業を自粛しろというのも完全に憲法違反だ。憲法というのは、そもそも人間社会を成り立たせるために書かれている。絵空事ではないんだよ。それなのに、憲法に違反するような自粛や隔離を、権力が強制したらだめな

12　**移動の自由**　日本国憲法第22条や、世界人権宣言第13条などに規定されている「居住と移転の自由」に基づく基本的人権。

んだ。そういうことを完全に無視している。

泉美　無視した上に、「強制ではなくお願いです」と言うんですよね。そして、法的根拠など何もない「ガイドライン」なるものを、各業界がみずから作って、みずからギチギチに自縛してしまったんですよ。本当におかしな話です。**裁判所の業務まで停止**[13]していたんですよね。司法って不要不急のものだったんですか。

小林　尋常ではないよね。コロナによってあぶり出された日本の姿が、普通ではないということにみんな気がつかないといけないよ。

泉美　ドイツやイギリスでは、反ロックダウンや、反マスク強制のデモが起きましたけど、日本ではみんな大人しく従っているだけでした。

小林　ただ外国の場合、ヤバいことに、ネオナチなんかの極右が、反マスク運動に紛れ込んでいたりするわけだ。こうなると、我々までそういう類いの奴らだと思われてしまうからね。

泉美　そうなんですよね。「コロナは政府の陰謀だ」とか、イルミナティがどうとか、変なネットの陰謀論者もいたりするんですよ。ドイツで数万人が集まったデモも、ほとんどの人はポリシーに関係なく、「自分のことは自分で決定したい」という意思で集まっているんだけど、なかにはネオナチの旗を立てて問題行動を起こす人もいて、そこがクローズアップされたりするんです。

小林　そうそう。「反マスク、反ワクチンが大暴れ」「極右主義者、ネオナチ、反イスラムのヘイト主義者がいる」と書かれてしまうんだよ。

泉美　「反ワクチン」というのも危ないものがあります。例えば、私や小林先生は、安全性の確認されていないワクチンをそんなにポンポン打ちたくないなあとか、注射はイヤだから自分で治すよという普通の感覚を言っているだけなんですけど、「反ワクチン」の運動をしている人は、「反医療」とか、「ワクチンは政府の陰謀」とか、カルトに近いものがあるんですよ。それと一緒にされてしまうと困るんです。

小林　そうだね。だけど、メディアは「極端な自由や権利というあやしいスローガンを掲げる政治家や公人が現れたら、そのときは要注意である」なんて書いたりするんだな。こうやって先手を打ってくるわけだ。そして、これに異を唱える奴は、極右だということになるんだよ。

泉美　左翼メディアは特にこういう傾向が強いですね。

小林　慰安婦問題の時とすごく似ている。従軍看護婦はいたけど、「従軍慰安婦」という名称そのものは、過去には存在しなかった。だから、「従軍慰安婦という名称のものは、軍の組織としてはいなかったよ」ということを説明したのに、それを「慰安婦はいなかったなどと言う奴がいる」と左翼が言い出すわけだよ。そこからめちゃくちゃになって、デタラメで難しい論争に入っていったわけだ。

なんでこんなにイデオロギーにはまるんだろうということだよ。慰安婦問題にしても、せっかく歴史的真実を見ようとしているのに、どうしても右翼と左翼に分かれていく。わしは、まさかコロナがそうなるとは思わなかった。これは自分たちの健康の問題なわけだから、右翼も左翼もないと思っていたんだよ。ところが、分かれちゃうんだ。これは大問題だよ。

「人権」を無視するリベラルの不思議

泉美　その上、左翼、リベラルの人たちのほうが、隔離政策なんかの人権無視に賛同してしまっている

13　**裁判所の業務まで停止**　緊急事態宣言や地方自治体の外出自粛要請に応じた各地の裁判所が、ＤＶ事件や急を要する仮処分手続きを除くほとんどの裁判期日をキャンセルし、機能を停止。自粛政策のために破産を申し立てようにも、裁判所が動いておらず、緊急事態宣言が解除されるまで破産手続開始の決定ができないという事態も起きた。

んですよね。どうなっているんでしょう。

小林 そこがまた変な話で、自由や権利は、本来はリベラルが言わなきゃいけなかったんだよ。それを、わしが言っているという。なんだこれは？

泉美 そもそも小林先生は、人権というものは、「自然権」としてこの世に普遍的に存在しているものではないんだよという主張をされている立場なのに、どこのリベラルよりも力いっぱい「人権を守れ！」と言うことになっていますね。

小林 人権というのは、普遍的に守られるものかというと、それは難しいよ。中国に「人権守れ」と言ったところで難しいでしょう。だから、まずは国家。**ナショナリズム**[14]が基本だと言っているわけだよね。神がすべての人類に人権を与えたというような天賦人権説は、あり得ない。

泉美 アフリカに生まれて、栄養もとれずに死んでいく人もいますものね。そもそも人権以前の状態の人たちが世界中にいるのだから、神から等しく与えられているわけがないということですね。

小林 そうそう。けれども、こういうことはある──例えば、**女性器切除**[15]というものを見たら、あまりにも野蛮で、女性を蔑視しすぎているから、そんな因習をこの21世紀になって残すのはやめたほうがいいんじゃないかと言いたくなるんだ。こういう点では、人類の進歩として、もう少し「人権の普遍性」を追求してもいいというところがあるわけだね。

香港の件も同じ。中国は「内政干渉するな」と言うんだよ。だが違う。言論の自由、表現の自由、政府を批判する自由。これは奪われてはいかんだろうと言いたいわけだ。

泉美 そうですね、中国がチベット、ウイグルでどれだけの迫害をやっているのかということも、もっと厳しく批判すべきだと思います。

小林 そうだね。やはり、そういう意味での人権はあるんだよ。だがこれは、天賦人権説ではない。正

当な人間の進歩としての意味合いなんだよ。ところが、リベラルの側にとっては、あくまでも天賦人

14 **ナショナリズム**　人々の集まりの基本的な単位を国家とし、その構成員である国民（ネイション）を維持・発展させていこうとする考え方のこと。国民主義。「大和民族」などを強調する民族主義や、自国の伝統の優越性を強調する国粋主義とは異なり、人種や出生地の異なる人々でも、日本文化に親しんで、日本に暮らすなら日本国民であるとして包摂する概念。

15 **女性器切除**　アフリカや中東、アジアの一部の国々で行われている女性の性器の一部を切除してしまう慣習。

コラム15　欧州の反ロックダウン・反マスク強制デモ

ドイツ・ベルリン

2020年8月29日、ドイツ・ベルリンでマスクの義務化や移動制限などに対する抗議デモが行われ、約3万8千人が集まった。ドイツでは、大規模イベントは「公衆衛生と安全への差し迫った脅威」とみなされており、デモは禁止措置の対象だったが、主催者らが提訴。ベルリン行政裁判所は、政府の主張には理論的根拠がなく、デモを禁止するだけの有効な法的根拠を欠いていると判断し、禁止措置を覆した。ベルリン警察が即日上訴したが、翌日にはデモは決行された。

主催者で起業家のミヒャエル・バルウェグ氏は、裁判所の決定について「私たちの基本的権利のための成功だ」と禁止措置の撤廃を歓迎したが、「デモの許可は政府が与えるべきものではない」「集合することができるのは、私たちの基本的な権利だ」とも述べ、政府の〝感染防止対策〟を批判した。

このデモには過激な言動をとる極右や陰謀論者も参加しており、逮捕者も出たため、一部メディアからは「攻撃性の高い極右過激派の集まり」と報じられたが、実際には政治的スタンスに関係ない参加者が多数だった。

イギリス・ロンドン

同じ8月29日には、イギリス・ロ

◉2020年8月29日、ロンドン中心部にあるトラファルガー広場に、政府のコロナ対策からの自由を訴えるため多数の人々が集まった©ロイター／アフロ

ンドンで「United for Freedom」と命名された政府のコロナ対策に対する抗議デモが開催され、約4万人（主催者発表）が集まった。参加者らは「FREEDOM OVER FEAR（恐怖よりも自由を）」「MY BODY, MY CHOICE（私の身体、私の選択）」などの文言を書いたプラカードを掲げ、また、教育の機会を奪われた子供たちへの悪影響を訴え、ロックダウン政策を批判する参加者もいた。

　個人の権利と自由に対して非常に敏感な意識を持つ欧州人、翻って日本人はどうだろう。無理な自粛や休業を強要されているにもかかわらず、「この強要、みんなで従えば怖くない」とばかりに黙って我慢してしまう習性。さらに「あなたも一緒に従うべきだよ、みんなが従っているんだから」と自粛警察に乗り出す心理。そんな一体感は必要なのだろうか？

権説だったわけだよね。「人権とは、世界にあまねく与えられている普遍的な価値なんですよ」というふうに、あっさり言ってしまうわけだから。

泉美　小林先生には、リベラルの感覚はあるけれど、「すべての人類が完全に平等だ」とは考えないということですね。

小林　そうです。そして、せめて国家の中だけでも、憲法に定められている自由と権利を守ろうよと言っている。これは、ナショナリズムだ。だけど、リベラルの連中は、それをいらないと言いはじめたわけだからね。特措法（新型インフルエンザ等特別措置法）を改正して、もっと厳しくして、休業要請を「要請」ではなく「命令」にしろと主張している。そして、補償しろと。

泉美　休業できる職業と、できない職業があるという時点で、全然リベラルじゃないですよ。休業させられたすべての店を完全に補償することなんかできるわけないというのも、どうしてわからないんでしょう。店によってランニングコストも利益率もバラバラで、わずかな一律の補償ではカバーできないんだし。法整備をして、感染者が陽性であることを隠してバスに乗ったりするのを防ぐために、IT監視しなければならないという論文を法律雑誌に書いている人もいました。仰天するような状態です。

私、リベラルの人たちの言う「正義」の感覚って、本当におかしいなと思うようになりました。法律関係の象徴は、ギリシャ神話の「正義の女神」を意味する天秤のマークですよね。法的な意味での「正義」は、2つのものがぶつかった時に、ゆらゆら揺れ動く天秤にかけて、どちらが重いのかということを常に悩みながら、そこに決断を下さなければならないんだというような意味だと思うんですよ。

ところが、コロナに関しては、悩むそぶりもなくて、天秤の片方のお皿にコロナウイルスがのった途端、いきなりドドーンとそっちに傾いて、もう片方のお皿にのっているはずの弱者の生きる権利も、営業の権利も、憲法で保障されている自由も、あっという間に切って捨てられてしまったんです。どこが「正義」なんですか。

無理やり休業させられて、とんかつ店のご主人が自殺してしまったことも、その一件だけでデモが起きたっておかしくない大事件だと私は思います。でも、そんな怒りの気配はありません。どこがリベラルなんですか。

小林　そうだよ、まったくそう。本当にひどいよ。リベラルは自由なんかいらないんだね。

泉美　私は、リベラルの知識人が、「自由は自分の力で常に守り続けなければ失われてしまう。気がついたら狭められて奪われてしまうんだ」と言っていたのを聞いて、そうか、じゃあ自由というものについては敏感になって、積極的に発言していかなきゃいけないなと学んだんですよ。

ところが、リベラルの人ほど、コロナひとつで自分から積極的に自由を捨てるようなことばかり言っています。なんだか、ただただ臆病なだけの人たちだったのかなとも思います。

小林　ひどいものだね。民主主義でもないし、法治国家でもない。リベラルがそこをちゃんと言わないから、日本でも、ネトウヨの奴らが人権を言い出すことになるんだよ。

泉美　「ノーマスクでJR山手線に乗ろう」という、クラスターフェスが物議をかもしましたね。

小林　そうだね。あれは、カウンターでしかないんだよ。そのカウンターを言わせたことがいけないよ。本当のリベラルが、なぜマスクを強要するのか、なぜ隔離をするのかということを言わなければいけなかったのに、リベラルがリベラルを捨てたから、ネトウヨがカウンターで言いはじめているんだ。だけど、カウンターとしての「反マスク」や「反ワクチン」じゃ、まったく話にならないわけだよ。

我々は、カウンターの感覚で言っているわけじゃない。本当に自由が欲しいと言っているわけであってね。しかし、その差が、なかなか見分けられないんだよね、普通の人は。

グローバリズムを脱却し、「自由」を希求せよ

泉美 私は、自由というのは、自分で守って、自分から実行して、謳歌していくものだと思っています。だけど、コロナ騒ぎで世の中の人々の言動を眺めた結果、ほとんどの人は、自由というのは誰かに与えられるもののように思い込んでいるんだなとわかりました。誰かが用意してくれた範囲の中で、ガイドラインの中で、ステイホームの中で安心して楽しんでいたらいいじゃないという感じ。その時点で、もう自由はないんですよ。

あの人と会って話そう、この大好物を食べに行こう、これについてもっと知りたいから学びに行こうというような、自由を行使する主体があって、それを制限されないように守るということが、その人個人の自由だと思いますよ。だけど、そういう感覚は、日本人にはないのかもしれません。

小林 そうだ。だから、お上が決めてください、私たちを自由にしないでください、どうやって行動すればいいか決めてください、自由に行動する奴に罰を下してくださいということまで言い出すわけだよね。

もし政府が「大丈夫だ、だから経済を回せ!」ということを、本気で力いっぱい言えば、日本人は従うと思う。でも、誰かが保証してくれていないから、「自由なんかいらない」ということになってしまう。誰かに従いたいという依頼心が、異常に高まるという状態になるんだよ。しかし、難しいね。自分で考えないといけないし、「一身独立して一国独立す」にならなきゃいけないんだけど、その「一身」が独立しないいんだ。自分で考えたくないからだろう。

泉美 「日本では普段どおりに行動して大丈夫」という考え方ができないままでは、いつまでもグローバリズム脳からも解放されませんよね。

小林　グローバリズムの危険に気づかずに、元の生活に戻って、また「観光立国だ」と言い出したら、どうにもならないからね。

泉美　すでにいろんなものが破壊されてしまって、もう「インバウンドを狙おう」と言われても、そういうビジネスに投資しようと思えなくなってしまったんじゃないでしょうか。増税の話なんかも、いつかツケとして起きてきますよね。コロナ問題の根本に、グローバリズムがあるんだということは、かなりしっかり考えなければいけませんね。

小林　それに、グローバリストのほうがよっぽど海外のことをわかっていないんじゃないか？　この本では、海外の国々の違いをしっかり知ってから議論している。世界がどこも同じようにコロナの反応が起きると思い込んでいるのがグローバリストなんじゃないかということだよ。

そもそも、グローバリズムという言葉がおかしいんだよね。だからわしは、「インターナショナリズム」のほうがいいと言っているんだ。グローバリズムは国の違いが見えないから、自国のことも見えなくなる。だが、自国の国家が見えて、国家間の差異があることから関係性が見えてくる。これが本当の国際主義だよ。

いつまでも鎖国しているわけにはいかないんだから、これから外国人観光客を入れるにあたっても、制限なしでいいのかということを考えなければいけない。制限なしでいいわけがないよ。京都なんかを見れば、わかるだろう。舞妓さんを追い回して、小さな私邸の路地にまで外国人が入り込んでさ。京都が京都でなくなってしまったじゃないか。

泉美　リベラルは、「隔離して制限しろ」と言いながら、一方で、何でもかんでも規制をなくして、好き放題にやらせることが自由だと思っているようなふしもあります。でも、それは成り行きまかせのただの放任であって、自由を守るということとは違うと思うんですよ。

小林　そうだよ。マスクの製造だって、すべて中国に頼っていた。それはダメだ、危ないと考え直さなければならない。今回は感染症だったが、どこかの国で飢饉が起きて、日本にはもう食料を輸出する余裕がありませんと言われることだってあり得るよ。そうなったらどうするんだよ。

そして、一番難しいのは、コロナは大したものではなかったけど、次に何か新しいウイルスが来た時にどうするかというところだね。これは本当に難しい。今回は、わしもインフルエンザという基準があったからやれたけど、別種のものが来た時は、どこに基準を置けばいいかわからなくなる。

泉美　そうですよね。いつか、欧米では大したことがないのに、日本では本当に感染の火だるまになって、42万人が死ぬというようなことも起きる可能性がありますよね。だから、専門家はもちろん、日本人はグローバリズム脳から抜け出して、日本国内のことをきちんと知って、検証しておかなければいけないと思います。そうでないと、また何か起きた時に、ニューヨークのやり方、中国のやり方をそのまま輸入しようということでは、大変なことになってしまいます。

小林　そうだよ。だから、わしもこれで慢心はしないよ。今回はものの見事に当たった。けれども、これが次に通用するとは思わない。まあ、今回のは、グローバリズムの観念がいかに危ういのかということや、過度に死を恐れると何事も見誤ること、「経済より命が大事」という問題、まるで幼稚園児のような理屈、そういうものに日本人が支配されていたということが露わになった。これは、わしが普段から考えていた批判点だ。それがコロナ君のおかげですごくよく見えたのはよかった。

やっぱりナショナリズムが必要でしょう。国ごとに国情というものがすべて違うんだということを教えることができた。ということで、わしのために現れたウイルスでしたなと今回はまとめてもいいけど、次はそうはいかないかもしれないからな。

泉美　そうですね。コロナは、日本人にとっての大きな宿題をいくつも残していったと思います。

あとがき

新型コロナは、欧米では大勢の死者を出したウイルスだが、日本ではそれほどの脅威ではなく、毎年流行している季節性インフルエンザよりもはるかに弱かった――たったこれだけのことが人々に伝わることのないまま、秋になった。

令和2年2月、クルーズ船「ダイヤモンド・プリンセス号」で新型コロナの集団感染が発生し、乗客を船内に閉じ込めたまま横浜港に停泊する様子が連日マスコミで報じられたが、この頃は、まだウイルスの情報も乏しく、私は、乗客たちが重症肺炎で全滅するのではないかと不安だった。後になって、実際には、無症状や軽微な症状の人のほうがずっと多かったと知るのだが、当時は、満員電車に乗るときに「肺炎をうつされるかも」と気味の悪さを感じる心理があったし、ぴったりとマスクもしていた。

ところが、この本の冒頭で語られているように、2月末に小林《こばやし》よしのり先生から「インフルエンザでは毎年1万人の死者が出ているんだぞ」と伺った。実を言うと、その場ではまだ「本当かなあ」と先生の話を信じ切っておらず（スミマセン、自分で確かめないとダメな性格で）、その晩によくよく調べてみて確信するのだが、あのポピュラーな病気で、そんなに死者が出ていたとは知らなかったので驚いた。

同時に、それまで自分が感染症というものをさほど恐れることもなく、たまに高熱を出して寝込むことはあっても、「こういうこともあるさ」と常に自然に過ごしていたことを思い返した。なにより、日本では他の病気や事故などが原因で、毎年約130万人が死んでいる。新型コロナのみに異常に注目して怯《おび》えるこの状態は、あまりにアンバランスで、それは他の死因による死者に対する凄まじい無関心をさらけ出しているとも思い至った。

このアンバランスは、たちまちのうちに膨張し、社会全体を狂わせた。莫大《ばくだい》な件数の手術が延期・キャンセルされ、自殺防止のボランティア「いのちの電話」には相談が殺到。経済悪化は戦後最大となり、仕事を失い、住居を手放し、生活に困窮する人々が次々と現れた。自殺者は増加、虐待やＤＶも増え、教育や遊び、交流の機会を奪われた子どもや学生たちへの悪影響も聞こえてくる。

一連の狂乱の先頭に立ち「もっと新型コロナを恐れよ！」と煽ってきたのが、マスコミに登場する感染症の専門家や一部の医師、それを「権威」として利用するテレビ関係者だ。実態とはそぐわない間違った科学や、日本のものではないデータを乱暴に掲げて、人々に「死の恐怖」を植え付け、不自然な行動を強要し、無責任に、日本社会を破壊へと導いた。そこに、「人間とはどのように生きるものなのか」「日本の庶民の常識とはなにか」という地に足のついた生身の感性はなかった。

この責任は追及されなければならないはずだが、恐怖に洗脳された人々は、いまだ惨状の元凶である専門家たちを妄信し、「新型コロナのせいだから仕方がない、誰も責められない」と思い込んだまま、戦時中のごとく「コロナ恐怖全体主義」を作り上げている。しかし、そんな異常な空気に圧殺されている弱い立場の人々がこの社会にはいる。だから、順応するわけにはいかない。

言論や表現という手段を持つ以上、このデタラメだらけの悲惨な情報社会の中から、人間らしく生きてゆく道筋を見出《みいだ》すために、その自由を行使するのが私たちの責任だとも考えている。専門家とされる人物の権威に身を委ね、現実と乖離《かいり》してゆく危うさについて考える一助になることを願う。本書の制作に関わっていただいたすべての皆さんに感謝いたします。

令和２年10月18日　　泉美木蘭

参考文献

◉河岡義裕・堀本研子『インフルエンザパンデミック　新型ウイルスの謎に迫る』（講談社）

◉生田哲『遺伝子と病気のしくみ』（日本実業出版社）

◉生田哲『ウイルスと感染のしくみ なぜ感染し、増殖するのか⁉ その驚くべきナゾに迫る‼』（SBクリエイティブ）

◉宮坂昌之『免疫力を強くする　最新科学が語るワクチンと免疫のしくみ』（講談社）

◉審良静男・黒崎知博『新しい免疫入門　自然免疫から自然炎症まで』（講談社）

◉G.J.V.Nossal 著、大沢利昭 訳『抗体と免疫　免疫学入門』（東京化学同人）

◉夏緑『病原体と免疫がよ～くわかる本』（秀和システム）

◉小林一寛『人体に危ない細菌・ウイルス　食中毒・院内感染・感染症の話』（PHP研究所）

◉デイビッド・ゲッツ 著、西村秀一訳『インフルエンザ感染爆発―見えざる敵＝ウイルスに挑む』（金の星社）

◉山本舜悟『あなたも名医！ 侮れない肺炎に立ち向かう31の方法』（日本医事新報社）

◉長尾大志 監修『ぜんぶわかる呼吸の事典　呼吸生理をわかりやすくビジュアル解説』（成美堂出版）

◉西條政幸・高田礼人・高橋幸裕 監修『感染症から知るウイルス・細菌（1）感染症の原因を知ろう！　―なぜかかる？ なぜうつる？―』（学研プラス）

◉西條政幸・高田礼人・高橋幸裕 監修『感染症から知るウイルス・細菌（2）細菌とウイルスの正体を知ろう！　―ウイルスは生物？』（学研プラス）

◉真野俊樹『日本の医療、くらべてみたら10勝5敗3分けで世界一』（講談社）

◉廣瀬輝夫『世界の医療事情リポート　そして日本を考える』（メディカルトリビューン）

◉北岡孝義『スウェーデンはなぜ強いのか　国家と企業の戦略を探る』（PHP研究所）

◉大西尚子・吉田理香『なぜ？がわかる　高齢者ケアの感染対策○と×』（メディア出版）

◉坪倉誠、室内環境におけるウイルス飛沫感染の予測とその対策　2020年10月13日 記者勉強会 発表資料（理化学研究所／神戸大学）

◉日本臨床検査医学会ガイドライン作成委員会 編集『臨床検査のガイドライン　JSLM2015　検査値アプローチ／症候／疾患』（日本臨床検査医学会）

◉厚生労働省 インフルエンザ脳症研究班『インフルエンザ脳症ガイドライン　改訂版　平成21年9月』

◉森田昭彦・石原正樹・亀井聡（2019）、インフルエンザ脳症成人例の解析、『神経治療学 36巻3号』（日本神経治療学会）

◉水口雅（2011）、パンデミック（H1N1）2009によるインフルエンザ脳症、『脳と発達 43巻』（日本小児神経学会）

◉Yoshiaki Gu,Tomoe Shimada,Yoshinori Yasui,Yuki Tada,Mitsuo Kaku,Nobuhiko Okabe (2013), "National Surveillance of Influenza-Associated Encephalopathy in Japan over Six Years, before and during the 2009–2010 Influenza Pandemic", PLoS One

◉志馬伸朗・清水直樹・植田育也・中矢代真美・渡部誠一・平井克樹・阿部世紀・中川聡（2010）、2009年豚由来A型新型インフルエンザ（A/H1N1 pdm）による小児重症症例集積報

告、『日本集中治療医学会雑誌　第17巻1号』（日本集中治療学会）
◉山腰雅宏・山本俊信・鈴木幹三・山本俊幸（1995）、急性筋炎を認めた高齢者インフルエンザ（A型）の4例、『感染症学雑誌　第69巻第6号』（日本感染症学会）
◉飯塚賢太郎・鈴木圭輔・椎名智彦・中村利生・舩越慶・平田幸一（2020）、インフルエンザウイルス感染に伴った急性壊死性脳症の2成人例、『臨床神経学　第60巻2号』（日本神経学会）
◉中村牧子・砂川長彦・知念久美子・前野大志・松岡満照・宮良高史・新城治・當真隆・大城一郁（2008）、インフルエンザ診断後に劇症型心筋炎を発症し心肺停止を来した1例、『日本内科学会雑誌　第97巻第7号』（日本内科学会）
◉山本昌良・石津智子・吉田健太郎・瀬尾由広・山口哲人・中馬越清隆・玉岡晃・青沼和隆（2012）、新型インフルエンザ心筋炎に多発筋炎を併発した1例、『心臓　第44巻6号』（日本心臓財団・日本循環器学会）
◉根本理子（2014）、エリートHIVコントローラーの謎、『生物工学会誌92巻4号』（日本生物工学会）
◉Michael Saag, Steven G. Deeks (2010), "How Do HIV Elite Controllers Do What They Do?", Clinical Infectious Diseases, Volume 51, Issue 2

著者プロフィール

小林よしのり（こばやし・よしのり）

1953年、福岡県生まれ。漫画家。1976年、『東大一直線』でデビュー。代表作に『おぼっちゃまくん』『ゴーマニズム宣言』など。現在は、『よしりん辻説法』（「FLASH」光文社※月1回掲載）、『ゴーマニズム宣言』（「週刊SPA!」扶桑社）などの連載の傍ら、定期的に公論の場「ゴー宣道場」を主催。近著に『ゴーマニズム宣言SPECIAL　コロナ論』（扶桑社）がある。

泉美木蘭（いずみ・もくれん）

1977年、三重県生まれ。作家。運営していたウェブサイトが話題を呼び、2004年、作家デビュー。「モーニングCROSS」（TOKYO MX）や、東洋経済オンライン、幻冬舎plusなどで、政治、社会問題、皇室問題について論じる。著書に、『AiLARA「ナジャ」と「アイララ」の半世紀』（Echelle-1）、『エム女の手帖』（幻冬舎）など。小林氏主催の「ゴー宣道場」には、2012年より師範として参加している。

新《しん》型《がた》コロナ——専《せん》門《もん》家《か》を問《と》い質《ただ》す

2020年11月30日　初版1刷発行

著者　小林《こばやし》よしのり
泉美《いずみ》木蘭《もくれん》

構成・文　泉美木蘭
デザイン　坂野公一（welle design）
撮影　野澤亘伸

発行者　鈴木広和
発行所　株式会社光文社
〒112-8011 東京都文京区音羽1-16-6
電話　編集部　03-5395-8254
書籍販売部　03-5395-8116
業務部　03-5395-8125
URL　光文社　https://www.kobunsha.com/
組版　萩原印刷
印刷所　萩原印刷
製本所　ナショナル製本

ISBN978-4-334-95204-4